edition suhrkamp

Redaktion: Günther Busch

Bertolt Brecht, geboren am 10. Februar 1898 in Augsburg, starb am 14. August 1956 in Berlin. *Der kaukasische Kreidekreis* ist 1944/45 in Santa Monica (USA) entstanden, wurde 1948 in Amerika uraufgeführt und am 9. November 1954 im Berliner Theater am Schiffbauerdamm zum erstenmal in deutscher Sprache gegeben.

Zwei Spiele, zwei große Themen der Weltliteratur werden von Brecht hier zu einem geschlossenen Kreis geführt: Das Spiel von Grusche Vachnadze, der Magd, die mit übermenschlichen Opfern – selbst dem Opfer ihrer Liebe zu dem Soldaten Simon Chachava – in Zeiten der Revolte das Kind der harten Gouverneursfrau rettet, und das Spiel vom Azdak, dem Arme-Leute-Richter, der, betrunken und korrupt, dennoch das Chaos zu einer »kurzen, goldenen Zeit beinah der Gerechtigkeit« macht.

»Dieses Spiel fällt keinen Augenblick aus dem Rahmen der Poesie. Ob als verloren beklagt oder als künftig erhofft – die Paradiese, von denen der Mensch träumt, sind künstlich. Wer in ihnen lebte, hätte keinen Grund, sie zu dichten.« *Siegfried Melchinger*

Bertolt Brecht
Der kaukasische Kreidekreis

Suhrkamp Verlag

Mitarbeiter: R. Berlau
Musik: Paul Dessau

edition suhrkamp 31
12. Auflage, 421.–470. Tausend 1973
Copyright 1955 by Suhrkamp Verlag Berlin und Frankfurt/Main. Unser
Text folgt der Einzelausgabe *Der kaukasische Kreidekreis*, Frankfurt 1962.
Printed in Germany. Alle Rechte vorbehalten, insbesondere das der Über-
setzung, des öffentlichen Vortrags, des Rundfunkvortrags und der Ver-
filmung, auch einzelner Abschnitte. Das Recht der Aufführung ist nur vom
Suhrkamp Verlag in Frankfurt am Main zu erwerben; den Bühnen und
Vereinen gegenüber als Manuskript gedruckt. Satz, in Linotype Gara-
mond, Druck: Nomos Verlag, Baden-Baden. Gesamtausstattung Willy
Fleckhaus.

Der kaukasische Kreidekreis

Ein alter Bauer rechts; eine Bäuerin rechts; ein junger Bauer; ein sehr junger Arbeiter – Ein alter Bauer links; eine Bäuerin links; die Agronomin; die junge Traktoristin; der verwundete Soldat und andere Kolchosbauern und -bäuerinnen – Der Sachverständige aus der Hauptstadt – Der Sänger Arkadi Tscheidse – Seine Musiker – Georgi Abaschwili, der Gouverneur – Seine Frau Natella – Ihr Sohn Michel – Shalva, der Adjutant – Arsen Kazbeki, der fette Fürst – Der Meldereiter aus der Hauptstadt – Niko Mikadze und Mikha Loladze, Ärzte – Der Soldat Simon Chachava – Das Küchenmädchen Grusche Vachnadze – Drei Baumeister – Vier Kammerfrauen: Assja; Mascha; Sulika; die dicke Nina – Kinderfrau – Köchin – Koch – Stallknecht – Bedienstete im Gouverneurspalast – Panzerreiter und Soldaten des Gouverneurs und des fetten Fürsten – Bettler und Bittsteller – Der alte Milchbauer – Zwei vornehme Damen – Der Wirt – Der Hausknecht – Gefreiter – Soldat »Holzkopf« – Eine Bäuerin und ihr Mann – Drei Händler – Lavrenti Vachnadze, Grusches Bruder – Seine Frau Aniko – Deren Knecht – Die Bäuerin, vorübergehend Grusches Schwiegermutter – Ihr Sohn Jussup – Bruder Anastasius, ein Mönch – Hochzeitsgäste – Kinder – Der Dorfschreiber Azdak – Schauwa, ein Polizist – Ein Flüchtender, der Großfürst – Der Arzt – Der Invalide – Der Hinkende – Der Erpresser – Ludowika, die Schwiegertochter des Wirts – Eine alte arme Bäuerin – Ihr Schwager Irakli, ein Bandit – Drei Großbauern – Illo Schuboladze und Sandro Oboladze, Anwälte – Das sehr alte Ehepaar

DER STREIT UM DAS TAL

Zwischen den Trümmern eines zerschossenen kaukasischen Dorfes sitzen im Kreis, weintrinkend und rauchend, Mitglieder zweier Kolchosdörfer, meist Frauen und ältere Männer; doch auch einige Soldaten. Bei ihnen ist ein Sachverständiger der staatlichen Wiederaufbaukommission aus der Hauptstadt.

EINE BÄUERIN LINKS *zeigt:* Dort in den Hügeln haben wir drei Nazitanks aufgehalten, aber die Apfelpflanzung war schon zerstört.

EIN ALTER BAUER RECHTS Unsere schöne Meierei: Trümmer!

EINE JUNGE TRAKTORISTIN LINKS Ich habe das Feuer gelegt, Genosse.

Pause

DER SACHVERSTÄNDIGE Hört jetzt das Protokoll: Es erschienen in Nukha die Delegierten des Ziegenzuchtkolchos »Galinsk«. Auf Befehl der Behörden hat der Kolchos, als die Hitlerarmeen anrückten, seine Ziegenherden weiter nach Osten getrieben. Er erwägt jetzt die Rücksiedlung in dieses Tal. Seine Delegierten haben Dorf und Gelände besichtigt und einen hohen Grad von Zerstörung festgestellt. *Die Delegierten rechts nicken.* Der benachbarte Obstbaukolchos »Rosa Luxemburg« – *nach links* – stellt den Antrag, daß das frühere Weideland des Kolchos »Galinsk«, ein Tal mit spärlichem Graswuchs, beim Wiederaufbau für Obst- und Weinbau verwertet wird. Als Sachverständiger der Wiederaufbaukommission ersuche ich die beiden Kolchosdörfer, sich selber darüber zu einigen, ob der Kolchos »Galinsk« hierher zurückkehren soll oder nicht.

DER ALTE RECHTS Zunächst möchte ich noch einmal gegen die Beschränkung der Redezeit protestieren. Wir vom Kolchos »Galinsk« sind drei Tage und drei Nächte auf dem Weg hierher gewesen, und jetzt soll es nur eine Diskussion von einem halben Tag sein!

EIN VERWUNDETER SOLDAT LINKS Genosse, wir haben nicht mehr so viele Dörfer und nicht mehr so viele Arbeitshände und nicht mehr soviel Zeit.

DIE JUNGE TRAKTORISTIN Alle Vergnügungen müssen rationiert werden, der Tabak ist rationiert und der Wein und die Diskussion auch.

DER ALTE RECHTS *seufzend:* Tod den Faschisten! So komme ich zur Sache und erkläre euch also, warum wir unser Tal zurückhaben wollen. Es gibt eine große Menge von Gründen, aber ich will mit einem der einfachsten anfangen. Makinä Abakidze, pack den Ziegenkäse aus.

Eine Bäuerin rechts nimmt aus einem großen Korb einen riesigen, in ein Tuch geschlagenen Käselaib. Beifall und Lachen.

Bedient euch, Genossen, greift zu.

EIN ALTER BAUER LINKS *mißtrauisch:* Ist der als Beeinflussung gedacht?

DER ALTE RECHTS *unter Gelächter:* Wie soll der als Beeinflussung gedacht sein, Surab, du Talräuber! Man weiß, daß du den Käse nehmen wirst und das Tal auch. *Gelächter.* Alles, was ich von dir verlange, ist eine ehrliche Antwort. Schmeckt dir dieser Käse?

DER ALTE LINKS Die Antwort ist: Ja.

DER ALTE RECHTS So. *Bitter:* Ich hätte es mir denken können, daß du nichts von Käse verstehst.

DER ALTE LINKS Warum nicht? Wenn ich dir sage, er schmeckt mir.

DER ALTE RECHTS Weil er dir nicht schmecken k a n n. Weil er nicht ist, was er war in den alten Tagen. Und warum ist er nicht mehr so? Weil unseren Ziegen das neue Gras nicht so schmeckt, wie ihnen das alte geschmeckt hat. Käse ist nicht Käse, weil Gras nicht Gras ist, das ist es. Bitte, das zu Protokoll zu nehmen.

DER ALTE LINKS Aber euer Käse ist ausgezeichnet.

DER ALTE RECHTS Er ist nicht ausgezeichnet, kaum mittelmäßig. Das neue Weideland ist nichts, was immer die Jungen sagen. Ich sage, man kann nicht leben dort. Es riecht nicht einmal richtig nach Morgen dort am Morgen.

Einige lachen.

DER SACHVERSTÄNDIGE Ärgere dich nicht, daß sie lachen, sie verstehen dich doch. Genossen, warum liebt man die Heimat? Deswegen: das Brot schmeckt da besser, der Himmel ist höher, die Luft ist da würziger, die Stimmen schallen da kräftiger, der Boden begeht sich da leichter. Ist es nicht so?

DER ALTE RECHTS Dieses Tal hat uns seit jeher gehört.

DER SOLDAT Was heißt »seit jeher«? Niemandem gehört nichts seit jeher. Als du jung warst, hast du selber dir nicht gehört, sondern den Fürsten Kazbeki.

DER ALTE RECHTS Nach dem Gesetz gehört uns das Tal.

DIE JUNGE TRAKTORISTIN Die Gesetze müssen auf jeden Fall überprüft werden, ob sie noch stimmen.

DER ALTE RECHTS Das versteht sich. Ist es etwa gleich, was für ein Baum neben dem Haus steht, wo man geboren ist? Oder was für Nachbarn man hat, ist das gleich? Wir wollen zurück, sogar, um euch neben unserm Kolchos zu haben, ihr Talräuber. Jetzt könnt ihr wieder lachen.

DER ALTE LINKS *lacht:* Warum hörst du dir dann nicht ruhig an, was deine »Nachbarin« Kato Wachtang, unsere Agronomin, über das Tal zu sagen hat?

EINE BÄUERIN RECHTS Wir haben noch lang nicht alles gesagt, was wir zu sagen haben über unser Tal. Von den Häusern sind nicht alle zerstört, von der Meierei steht zumindest noch die Grundmauer.

9

DER SACHVERSTÄNDIGE Ihr habt einen Anspruch auf Staatshilfe – hier und dort, das wißt ihr.

DIE BÄUERIN RECHTS Genosse Sachverständiger, das ist kein Handel hier. Ich kann dir nicht deine Mütze nehmen und dir eine andre hinhalten mit »die ist besser«. Die andere kann besser sein, aber die deine gefällt dir besser.

DIE JUNGE TRAKTORISTIN Mit einem Stück Land ist es nicht wie mit einer Mütze, nicht in unserm Land, Genossin.

DER SACHVERSTÄNDIGE Werdet nicht zornig. Es ist richtig, wir müssen ein Stück Land eher wie ein Werkzeug ansehen, mit dem man Nützliches herstellt, aber es ist auch richtig, daß wir die Liebe zu einem besonderen Stück Land anerkennen müssen. Bevor wir mit der Diskussion fortfahren, schlage ich vor, daß ihr den Genossen vom Kolchos »Galinsk« erklärt, was ihr mit dem strittigen Tal anfangen wollt.

DER ALTE RECHTS Einverstanden.

DER ALTE LINKS Ja, laßt Kato reden.

DER SACHVERSTÄNDIGE Genossin Agronomin!

DIE AGRONOMIN LINKS *steht auf, sie ist in militärischer Uniform:* Genossen, im letzten Winter, als wir als Partisanen hier in den Hügeln kämpften, haben wir davon gesprochen, wie wir nach der Vertreibung der Deutschen unsere Obstkultur zehnmal so groß wiederaufbauen könnten. Ich habe das Projekt einer Bewässerungsanlage ausgearbeitet. Vermittels eines Staudamms an unserm Bergsee können 300 Hektar unfruchtbaren Bodens bewässert werden. Unser Kolchos könnte dann nicht nur mehr Obst, sondern auch Wein anbauen. Aber das Projekt lohnt sich nur, wenn man auch das strittige Tal des Kolchos »Galinsk« einbeziehen könnte. Hier sind die Berechnungen. *Sie überreicht dem Sachverständigen eine Mappe.*

DER ALTE RECHTS Schreiben Sie ins Protokoll, daß unser Kolchos beabsichtigt, eine neue Pferdezucht aufzumachen.

DIE JUNGE TRAKTORISTIN Genossen, das Projekt ist ausgedacht worden in den Tagen und Nächten, wo wir in den Bergen hausen mußten und oft keine Kugeln mehr für die paar Gewehre hatten. Selbst die Beschaffung des Bleistifts war schwierig.

Beifall von beiden Seiten.

DER ALTE RECHTS Unsern Dank den Genossen vom Kolchos »Rosa Luxemburg« und allen, die die Heimat verteidigt haben!

Sie schütteln einander die Hände und umarmen sich.

DIE BÄUERIN LINKS Unser Gedanke war dabei, daß unsere Soldaten, unsere und eure Männer, in eine noch fruchtbarere Heimat zurückkommen sollten.

DIE JUNGE TRAKTORISTIN Wie der Dichter Majakowski gesagt hat, »die Heimat des Sowjetvolkes soll auch die Heimat der Vernunft sein«!

Die Delegierten rechts sind, bis auf den Alten, aufgestanden und studieren mit dem Sachverständigen die Zeichnungen der Agronomin. Ausrufe wie: »Wieso ist die Fallhöhe 22 Meter!« – »Der Felsen hier wird gesprengt!« – »Im Grund brauchen sie nur Zement und Dynamit!« – »Sie zwingen das Wasser, hier herunterzukommen, das ist schlau!«

EIN SEHR JUNGER ARBEITER RECHTS *zum Alten rechts:* Sie bewässern alle Felder zwischen den Hügeln, schau dir das an, Alleko.

DER ALTE RECHTS Ich werde es mir nicht anschauen. Ich wußte es, daß das Projekt gut sein würde. Ich lasse mir nicht die Pistole auf die Brust setzen.

DER SOLDAT Aber sie wollen dir nur den Bleistift auf die Brust setzen.

Gelächter.

DER ALTE RECHTS *steht düster auf und geht, sich die Zeichnungen zu betrachten:* Diese Talräuber wissen leider zu genau, daß wir Maschinen und Projekten nicht widerstehen können hierzulande.

DIE BÄUERIN RECHTS Alleko Bereschwili, du bist selber der Schlimmste mit neuen Projekten, das ist bekannt.

DER SACHVERSTÄNDIGE Was ist mit meinem Protokoll? Kann ich schreiben, daß ihr bei eurem Kolchos die Abtretung eures alten Tals für dieses Projekt befürworten werdet?

DIE BÄUERIN RECHTS Ich werde sie befürworten. Wie ist es mit dir, Alleko?

DER ALTE RECHTS *über den Zeichnungen:* Ich beantrage, daß ihr uns Kopien von den Zeichnungen mitgebt.

DIE BÄUERIN RECHTS Dann können wir uns zum Essen setzen. Wenn er erst einmal die Zeichnungen hat und darüber diskutieren kann, ist die Sache erledigt. Ich kenne ihn. Und so ist es mit den andern bei uns.
Die Delegierten umarmen sich wieder lachend.

DER ALTE LINKS Es lebe der Kolchos »Galinsk«, und viel Glück zu eurer neuen Pferdezucht!

DIE BÄUERIN LINKS Genossen, es ist geplant, zu Ehren des Besuchs der Delegierten vom Kolchos »Galinsk« und des Sachverständigen ein Theaterstück unter Mitwirkung des Sängers Arkadi Tscheidse aufzuführen, das mit unserer Frage zu tun hat.
Beifall.
Die junge Traktoristin ist weggelaufen, den Sänger zu holen.

DIE BÄUERIN RECHTS Genossen, euer Stück muß gut sein, wir bezahlen es mit einem Tal.

DIE BÄUERIN LINKS Arkadi Tscheidse kann 21 000 Verse.

DER ALTE LINKS Wir haben das Stück unter seiner Leitung einstudiert. Man kann ihn übrigens nur sehr schwer bekommen. Ihr in der Plankommission solltet euch darum kümmern, daß man ihn öfter in den Norden heraufbekommt, Genosse.

DER SACHVERSTÄNDIGE Wir befassen uns eigentlich mehr mit Ökonomie.

DER ALTE LINKS *lächelnd:* Ihr bringt Ordnung in die Neuverteilung von Weinreben und Traktoren, warum nicht von Gesängen?

Von der jungen Traktoristin geführt, tritt der Sänger Arkadi Tscheidse, ein stämmiger Mann von einfachem Wesen, in den Kreis. Mit ihm sind Musiker mit ihren Instrumenten. Die Künstler werden mit Händeklatschen begrüßt.

DIE JUNGE TRAKTORISTIN Das ist der Genosse Sachverständige, Arkadi.

Der Sänger begrüßt die Umstehenden.

DIE BÄUERIN RECHTS Es ehrt mich sehr, Ihre Bekanntschaft zu machen. Von Ihren Gesängen habe ich schon auf der Schulbank gehört.

DER SÄNGER Diesmal ist es ein Stück mit Gesängen, und fast der ganze Kolchos spielt mit. Wir haben die alten Masken mitgebracht.

DER ALTE RECHTS Wird es eine der alten Sagen sein?

DER SÄNGER Eine sehr alte. Sie heißt »Der Kreidekreis« und stammt aus dem Chinesischen. Wir tragen sie freilich in geänderter Form vor. Jura, zeig mal die Masken. Genossen, es ist eine Ehre für uns, euch nach einer schwierigen Debatte zu unterhalten. Wir hoffen, ihr werdet finden, daß die Stimme des alten Dichters auch im Schatten der Sowjettraktoren klingt. Verschiedene Weine zu mischen mag falsch sein, aber alte und neue Weisheit mischen sich ausgezeichnet. Nun, ich hoffe, wir alle bekommen erst zu essen, bevor der Vortrag beginnt. Das hilft nämlich.

STIMMEN Gewiß. – Kommt alle ins Klubhaus.

Alle gehen fröhlich zum Essen.

Während des Aufbruchs wendet sich der Sachverständige an den Sänger.

DER SACHVERSTÄNDIGE Wie lange wird die Geschichte dauern, Arkadi? Ich muß noch heute nacht zurück nach Tiflis.

DER SÄNGER *beiläufig:* Es sind eigentlich zwei Geschichten. Ein paar Stunden.

DER SACHVERSTÄNDIGE *sehr vertraulich:* Könntet ihr es nicht kürzer machen?

DER SÄNGER Nein.

2

DAS HOHE KIND

DER SÄNGER *vor seinen Musikern auf dem Boden sitzend,*
einen schwarzen Umhang aus Schafsleder um die Schul-
tern, blättert in einem abgegriffenen Textbüchlein mit
Zetteln:

In alter Zeit, in blutiger Zeit
Herrschte in dieser Stadt, »die Verdammte« genannt
Ein Gouverneur mit Namen Georgi Abaschwili.
Er war reich wie der Krösus.
Er hatte eine schöne Frau.
Er hatte ein gesundes Kind.
Kein andrer Gouverneur in Grusinien hatte
So viele Pferde an seiner Krippe
Und so viele Bettler an seiner Schwelle
So viele Soldaten in seinem Dienste
Und so viele Bittsteller in seinem Hofe.
Wie soll ich euch einen Georgi Abaschwili beschreiben?
Er genoß sein Leben.
An einem Ostersonntagmorgen
Begab sich der Gouverneur mit seiner Familie
In die Kirche.

Aus dem Torbogen eines Palastes quellen Bettler und Bitt-
steller, magere Kinder, Krücken, Bittschriften hochhaltend.
Hinter ihnen zwei Panzersoldaten, dann in kostbarer
Tracht die Gouverneursfamilie.
DIE BETTLER UND BITTSTELLER Gnade, Euer Gnaden, die
Steuer ist unerschwinglich. – Ich habe mein Bein im Per-

sischen Krieg eingebüßt, wo kriege ich . . . – Mein Bruder ist unschuldig, Euer Gnaden, ein Mißverständnis. – Er stirbt mir vor Hunger. – Bitte um Befreiung unsres letzten Sohnes aus dem Militärdienst. – Bitte, Euer Gnaden, der Wasserinspektor ist bestochen.

Ein Diener sammelt die Bittschriften, ein anderer teilt Münzen aus einem Beutel aus. Die Soldaten drängen die Menge zurück, mit schweren Lederpeitschen auf sie einschlagend.

SOLDAT Zurück! Das Kirchentor freimachen!

Hinter dem Gouverneurspaar und dem Adjutanten wird aus dem Torbogen das Kind des Gouverneurs in einem prunkvollen Wägelchen gefahren. Die Menge drängt wieder vor, es zu sehen. Rufe aus der Menge: »Das Kind!« – »Ich kann es nicht sehen, drängt nicht so.« – »Gottes Segen, Euer Gnaden.«

DER SÄNGER *während die Menge zurückgepeitscht wird:*
Zum erstenmal an diesen Ostern sah das Volk den Erben.
Zwei Doktoren gingen keinen Schritt von dem Hohen
             Kind
Augapfel des Gouverneurs.
Selbst der mächtige Fürst Kazbeki
Erwies ihm vor der Kirchentür seine Reverenz.

Ein fetter Fürst tritt herzu und begrüßt die Familie.
DER FETTE FÜRST Fröhliche Ostern, Natella Abaschwili.

Man hört einen Befehl. Ein Reiter sprengt heran, hält dem Gouverneur eine Rolle mit Papieren entgegen. Auf einen Wink des Gouverneurs begibt sich der Adjutant, ein schöner junger Mann, zu dem Reiter und hält ihn zurück. Es entsteht eine kurze Pause, während der fette Fürst den Reiter mißtrauisch mustert.

Was für ein Tag! Als es gestern nacht regnete, dachte ich

schon: trübe Feiertage. Aber heute morgen: ein heiterer Himmel. Ich liebe heitere Himmel, Natella Abaschwili, ein simples Herz. Und der kleine Michel, ein ganzer Gouverneur, tititi. *Er kitzelt das Kind.* Fröhliche Ostern, kleiner Michel, tititi.

DIE GOUVERNEURSFRAU Was sagen Sie, Arsen, Georgi hat sich endlich entschlossen, mit dem Bau des neuen Flügels an der Ostseite zu beginnen. Die ganze Vorstadt mit den elenden Baracken wird abgerissen für den Garten.

DER FETTE FÜRST Das ist eine gute Nachricht nach so vielen schlechten. Was hört man vom Krieg, Bruder Georgi? *Auf die abwinkende Geste des Gouverneurs:* Ein strategischer Rückzug, höre ich? Nun, das sind kleine Rückschläge, die es immer gibt. Einmal steht es besser, einmal schlechter. Kriegsglück. Es hat wenig Bedeutung, wie?

DIE GOUVERNEURSFRAU Er hustet! Georgi, hast du gehört? *Scharf zu den beiden Ärzten, zwei würdevollen Männern, die dicht hinter dem Wägelchen stehen:* Er hustet.

ERSTER ARZT *zum zweiten:* Darf ich Sie daran erinnern, Niko Mikadze, daß ich gegen das laue Bad war? Ein kleines Versehen bei der Temperierung des Badewassers, Euer Gnaden.

ZWEITER ARZT *ebenfalls sehr höflich:* Ich kann Ihnen unmöglich beistimmen, Mikha Loladze, die Badewassertemperatur ist die von userm geliebten großen Mishiko Oboladze angegebene. Eher Zugluft in der Nacht, Euer Gnaden.

DIE GOUVERNEURSFRAU Aber so sehen Sie doch nach ihm. Er sieht fiebrig aus, Georgi.

ERSTER ARZT *über dem Kind:* Kein Grund zur Beunruhigung, Euer Gnaden. Das Badewasser ein bißchen wärmer, und es kommt nicht mehr vor.

ZWEITER ARZT *mit giftigem Blick auf ihn:* Ich werde es nicht vergessen, lieber Mikha Loladze. Kein Grund zur Besorgnis, Euer Gnaden.

DER FETTE FÜRST Aai, ai, ai, ai! Ich sage immer: meine Leber
    sticht, dem Doktor 50 auf die Fußsohlen. Und das auch
    nur, weil wir in einem verweichlichten Zeitalter leben;
    früher hieß es einfach: Kopf ab!
DIE GOUVERNEURSFRAU Gehen wir in die Kirche, wahrschein-
    lich ist es die Zugluft hier.
    *Der Zug, bestehend aus der Familie und dem Dienstper-
    sonal, biegt in das Portal einer Kirche ein. Der fette Fürst
    folgt. Der Adjutant tritt aus dem Zug und zeigt auf den
    Reiter.*
DER GOUVERNEUR Nicht v o r dem Gottesdienst, Shalva.
DER ADJUTANT *zum Reiter:* Der Gouverneur wünscht nicht,
    vor dem Gottesdienst mit Berichten behelligt zu werden,
    besonders wenn sie, wie ich annehme, deprimierender Na-
    tur sind. Laß dir in der Küche etwas zu essen geben,
    Freund.
    *Der Adjutant schließt sich dem Zug an, während der Rei-
    ter mit einem Fluch in das Palasttor geht. Ein Soldat
    kommt aus dem Palast und bleibt im Torbogen stehen.*

DER SÄNGER
    Die Stadt ist stille.
    Auf dem Kirchplatz stolzieren die Tauben.
    Ein Soldat der Palastwache
    Scherzt mit einem Küchenmädchen
    Das vom Fluß herauf mit einem Bündel kommt.

    *In den Torbogen will eine Magd, unterm Arm ein Bündel
    aus großen grünen Blättern.*
DER SOLDAT Was, das Fräulein ist nicht in der Kirche,
    schwänzt den Gottesdienst?
GRUSCHE Ich war schon angezogen, da hat für das Osteressen
    eine Gans gefehlt, und sie haben mich gebeten, daß ich sie
    hol, ich versteh was von Gänsen.

DER SOLDAT Eine Gans? *Mit gespieltem Mißtrauen:* Die müßt ich erst sehen, diese Gans.

Grusche versteht nicht.

Man muß vorsichtig sein mit den Frauenzimmern. Da heißt es: »Ich hab nur eine Gans geholt«, und dann war es etwas ganz anderes.

GRUSCHE *geht resolut auf ihn zu und zeigt ihm die Gans:* Da ist sie. Und wenn es keine 15-Pfund-Gans ist und sie haben sie nicht mit Mais geschoppt, eß ich die Federn.

DER SOLDAT Eine Königin von einer Gans! Die wird vom Gouverneur selber verspeist werden. Und das Fräulein war also wieder einmal am Fluß?

GRUSCHE Ja, beim Geflügelhof.

DER SOLDAT Ach so, beim Geflügelhof, unten am Fluß, nicht etwa oben bei den gewissen Weiden?

GRUSCHE Bei den Weiden bin ich doch nur, wenn ich das Linnen wasche.

DER SOLDAT *bedeutungsvoll:* Eben.

GRUSCHE Eben was?

DER SOLDAT *zwinkernd:* Eben das.

GRUSCHE Warum soll ich denn nicht bei den Weiden Linnen waschen?

DER SOLDAT *lacht übertrieben:* »Warum soll ich denn nicht bei den Weiden Linnen waschen?« Das ist gut, wirklich gut.

GRUSCHE Ich versteh den Herrn Soldat nicht. Was soll da gut sein?

DER SOLDAT *listig:* Wenn manche wüßte, was mancher weiß, würd ihr kalt und würd ihr heiß.

GRUSCHE Ich weiß nicht, was man über die gewissen Weiden wissen könnte.

DER SOLDAT Auch nicht, wenn vis-à-vis ein Gestrüpp wäre, von dem aus alles gesehen werden könnte? Alles, was da so geschieht, wenn eine bestimmte Person »Linnen wäscht«!

GRUSCHE Was geschieht da? Will der Herr Soldat nicht sagen, was er meint, und fertig?

DER SOLDAT Es geschieht etwas, bei dem vielleicht etwas gesehen werden kann.

GRUSCHE Der Herr Soldat meint doch nicht, daß ich an einem heißen Tag einmal meine Fußzehen ins Wasser stecke, denn sonst ist nichts.

DER SOLDAT Und mehr. Die Fußzehen und mehr.

GRUSCHE Was mehr? Den Fuß höchstens.

DER SOLDAT Den Fuß und ein bißchen mehr. *Er lacht sehr.*

GRUSCHE *zornig:* Simon Chachava, du solltest dich schämen. Im Gestrüpp sitzen und warten, bis eine Person an einem heißen Tag das Bein in den Fluß gibt. Und wahrscheinlich noch zusammen mit einem andern Soldaten! *Sie läuft weg.*

DER SOLDAT *ruft ihr nach:* Nicht mit einem andern!

Wenn der Sänger seine Erzählung wieder aufnimmt, läuft der Soldat Grusche nach.

DER SÄNGER

Die Stadt liegt stille, aber warum gibt es Bewaffnete?
Der Palast des Gouverneurs liegt friedlich
Aber warum ist er eine Festung?

Aus dem Portal links tritt schnellen Schrittes der fette Fürst. Er bleibt stehen, sich umzublicken. Vor dem Torbogen rechts warten zwei Panzerreiter. Der Fürst sieht sie und geht langsam an ihnen vorbei, ihnen ein Zeichen machend; dann schnell ab. Der eine Panzerreiter geht durch den Torbogen in den Palast; der andere bleibt als Wächter zurück. Man hört hinten von verschiedenen Seiten gedämpfte Rufe »Zur Stelle«: der Palast ist umstellt. Von fern Kirchenglocken. Aus dem Portal kommt der Zug mit der Gouverneursfamilie zurück aus der Kirche.

Da kehrte der Gouverneur in seinen Palast zurück
Da war die Festung eine Falle
Da war die Gans gerupft und gebraten
Da wurde die Gans nicht mehr gegessen
Da war Mittag nicht mehr die Zeit zum Essen
Da war Mittag die Zeit zum Sterben.

DIE GOUVERNEURSFRAU *im Vorbeigehen:* Es ist wirklich unmöglich, in dieser Baracke zu leben, aber Georgi baut natürlich nur für seinen kleinen Michel, nicht etwa für mich. Michel ist alles, alles für Michel!

DER GOUVERNEUR Hast du gehört, »Fröhliche Ostern« von Bruder Kazbeki! Schön und gut, aber es hat meines Wissens in Nukha nicht geregnet gestern nacht. Wo Bruder Kazbeki war, regnete es. Wo war Bruder Kazbeki?

DER ADJUTANT Man muß untersuchen.

DER GOUVERNEUR Ja, sofort. Morgen.

Der Zug biegt in den Torbogen ein. Der Reiter, der inzwischen aus dem Palast zurückgekehrt ist, tritt auf den Gouverneur zu.

DER ADJUTANT Wollen Sie nicht doch den Reiter aus der Hauptstadt hören, Exzellenz? Er ist heute morgen mit vertraulichen Papieren eingetroffen.

DER GOUVERNEUR *im Weitergehen:* Nicht vor dem Essen, Shalva!

DER ADJUTANT *während der Zug im Palast verschwindet und nur zwei Panzerreiter der Palastwache am Tor zurückbleiben, zum Reiter:* Der Gouverneur wünscht nicht, vor dem Essen mit militärischen Berichten behelligt zu werden, und den Nachmittag wird Seine Exzellenz Besprechungen mit hervorragenden Baumeistern widmen, die auch zum Essen eingeladen sind. Hier sind sie schon. *Drei Herren sind herangetreten. Während der Reiter abgeht, begrüßt der Adjutant die Baumeister.* Meine Herren,

Seine Exzellenz erwartet Sie zum Essen. Seine ganze Zeit wird nur Ihnen gewidmet sein. Den großen neuen Plänen! Kommen Sie schnell!

EINER DER BAUMEISTER Wir bewundern es, daß Seine Exzellenz also trotz der beunruhigenden Gerüchte über eine schlimme Wendung des Krieges in Persien zu bauen gedenkt.

DER ADJUTANT Sagen wir: wegen ihnen! Das ist nichts. Persien ist weit! Die Garnison hier läßt sich für ihren Gouverneur in Stücke hauen.

Aus dem Palast kommt Lärm. Ein schriller Aufschrei einer Frau, Kommandorufe. Der Adjutant geht entgeistert auf den Torbogen zu. Ein Panzerreiter tritt heraus, ihm den Spieß entgegenhaltend. Was ist hier los? Tu den Spieß weg, Hund. *Rasend zu der Palastwache:* Entwaffnen! Seht ihr nicht, daß ein Anschlag auf den Gouverneur gemacht wird? *Die angesprochenen Panzerreiter der Palastwache gehorchen nicht. Sie blicken den Adjutanten kalt und gleichgültig an und folgen auch dem übrigen ohne Teilnahme. Der Adjutant erkämpft sich den Eingang in den Palast.*

EINER DER BAUMEISTER Die Fürsten! Gestern nacht war in der Hauptstadt eine Versammlung der Fürsten, die gegen den Großfürsten und seine Gouverneure sind. Meine Herren, wir machen uns besser dünn.

Sie gehen schnell weg.

DER SÄNGER

O Blindheit der Großen! Sie wandeln wie Ewige
Groß auf gebeugten Nacken, sicher
Der gemieteten Fäuste, vertrauend
Der Gewalt, die so lang schon gedauert hat.
Aber lang ist nicht ewig.
O Wechsel der Zeiten! Du Hoffnung des Volks!

Aus dem Torbogen tritt der Gouverneur, gefesselt, mit grauem Gesicht, zwischen zwei Soldaten, die bis an die Zähne bewaffnet sind.

Auf immer, großer Herr! Geruhe, aufrecht zu gehen!
Aus deinem Palast folgen dir die Augen vieler Feinde!
Du brauchst keine Baumeister mehr, es genügt ein Schreiner.
Du ziehst in keinen neuen Palast mehr, sondern in ein
kleines Erdloch.
Sieh dich noch einmal um, Blinder!

Der Verhaftete blickt sich um.

Gefällt dir, was du hattest? Zwischen Ostermette und
Mahl
Gehst du dahin, von wo keiner zurückkehrt.

Er wird abgeführt. Die Palastwache schließt sich an. Ein Hornalarmruf wird hörbar. Lärm hinter dem Torbogen.

Wenn das Haus eines Großen zusammenbricht
Werden viele Kleine erschlagen.
Die das Glück der Mächtigen nicht teilten
Teilen oft ihr Unglück. Der stürzende Wagen
Reißt die schwitzenden Zugtiere
Mit in den Abgrund.

Aus dem Torbogen kommen in Panik Dienstboten gelaufen.

DIE DIENSTBOTEN *durcheinander:* Die Lastkörbe! Alles in den dritten Hof! Lebensmittel für fünf Tage. – Die gnädige Frau liegt in einer Ohnmacht. – Man muß sie heruntertragen, sie muß fort. – Und wir? – Uns schlachten sie wie die Hühner ab, das kennt man. – Jesus Maria, was wird sein? – In der Stadt soll schon Blut fließen. – Unsinn, der Gouverneur ist nur höflich aufgefordert worden, zu einer Sitzung der Fürsten zu erscheinen, alles wird gütlich geregelt werden, ich habe es aus erster Quelle.

Auch die beiden Ärzte stürzen auf den Hof.

ERSTER ARZT *sucht den zweiten zurückzuhalten:* Niko Mikadze, es ist Ihre ärztliche Pflicht, Natella Abaschwili Beistand zu leisten.

ZWEITER ARZT Meine Pflicht? Die Ihrige!

ERSTER ARZT Wer hat das Kind heute, Niko Mikadze, Sie oder ich?

ZWEITER ARZT Glauben Sie wirklich, Mikha Loladze, daß ich wegen dem Balg eine Minute länger in einem verpesteten Haus bleibe?

Sie geraten ins Raufen. Man hört nur noch »Sie verletzen Ihre Pflicht!« und »Pflicht hin, Pflicht her!« dann schlägt der zweite Arzt den ersten nieder.

Oh, geh zur Hölle. *Ab.*

DIE DIENSTBOTEN Man hat Zeit bis Abend, vorher sind die Soldaten nicht besoffen. – Weiß man denn, ob sie schon gemeutert haben? – Die Palastwache ist abgeritten. – Weiß denn immer noch niemand, was passiert ist?

GRUSCHE Der Fischer Meliwa sagt, in der Hauptstadt hat man am Himmel einen Kometen gesehen mit einem roten Schweif, das hat Unglück bedeutet.

DIE DIENSTBOTEN Gestern soll in der Hauptstadt bekannt geworden sein, daß der Persische Krieg ganz verloren ist. – Die Fürsten haben einen großen Aufstand gemacht. Es heißt, der Großfürst ist schon geflohen. Alle seine Gouverneure werden hingerichtet. – Den Kleinen tun sie nichts. Ich habe meinen Bruder bei den Panzerreitern.

Der Soldat Simon Chachava kommt und sucht im Gedränge Grusche.

DER ADJUTANT *erscheint im Torbogen:* Alles in den dritten
Hof! Alles beim Packen helfen!
Er treibt das Gesinde weg. Simon findet endlich Grusche.
SIMON Da bist du ja, Grusche. Was wirst du machen?
GRUSCHE Nichts. Für den Notfall habe ich einen Bruder mit
einem Hof im Gebirge. Aber was ist mit dir?
SIMON Mit mir ist nichts. *Wieder förmlich:* Grusche Vachnad-
ze, deine Frage nach meinen Plänen erfüllt mich mit Ge-
nugtuung. Ich bin abkommandiert, die Frau Natella Ab-
aschwili als Wächter zu begleiten.
GRUSCHE Aber hat die Palastwache nicht gemeutert?
SIMON *ernst:* So ist es.
GRUSCHE Ist es nicht gefährlich, die Frau zu begleiten?
SIMON In Tiflis sagt man: Ist das Stechen etwa gefährlich
für das Messer?
GRUSCHE Du bist kein Messer, sondern ein Mensch, Simon
Chachava. Was geht dich die Frau an?
SIMON Die Frau geht mich nichts an, aber ich bin abkomman-
diert, und so reite ich.
GRUSCHE So ist der Herr Soldat ein dickköpfiger Mensch,
weil er sich für nichts und wieder nichts in Gefahr begibt.
Als aus dem Palast nach ihr gerufen wird: Ich muß in den
dritten Hof und habe Eile.
SIMON Da Eile ist, sollten wir uns nicht streiten, denn für
ein gutes Streiten ist Zeit nötig. Ist die Frage erlaubt,
ob das Fräulein noch Eltern hat?
GRUSCHE Nein. Nur den Bruder.
SIMON Da die Zeit kurz ist – die zweite Frage wäre: ist das
Fräulein gesund wie der Fisch im Wasser?
GRUSCHE Vielleicht ein Reißen in der rechten Schulter mitunter, aber sonst kräftig für jede Arbeit, es hat sich noch
niemand beschwert.
SIMON Das ist bekannt. Wenn es sich am Ostersonntag darum
handelt, wer holt trotzdem die Gans, dann ist es sie. Frage

drei: Ist das Fräulein ungeduldig veranlagt? Will es Kirschen im Winter?

GRUSCHE Ungeduldig nicht, aber wenn in den Krieg gegangen wird ohne Sinn und keine Nachricht kommt, ist es schlimm.

SIMON Eine Nachricht wird kommen. *Aus dem Palast wird wieder nach Grusche gerufen.* Zum Schluß die Hauptfrage ...

GRUSCHE Simon Chachava, weil ich in den dritten Hof muß und große Eile ist, ist die Antwort schon »Ja«.

SIMON *sehr verlegen:* Man sagt: »Eile heißt der Wind, der das Baugerüst umweht.« Aber man sagt auch: »Die Reichen haben keine Eile.« Ich bin aus ...

GRUSCHE Kutsk ...

SIMON Da hat das Fräulein sich also erkundigt? Bin gesund, habe für niemand zu sorgen, kriege 10 Piaster im Monat, als Zahlmeister 20, und bitte herzlich um die Hand.

GRUSCHE Simon Chachava, es ist mir recht.

SIMON *nestelt sich eine dünne Kette vom Hals, an der ein Kreuzlein hängt:* Das Kreuz stammt von meiner Mutter, Grusche Vachnadze, die Kette ist von Silber; bitte, sie zu tragen.

GRUSCHE Vielen Dank, Simon.

Er hängt sie ihr um.

SIMON Ich muß die Pferde einspannen, das versteht das Fräulein. Es ist besser, wenn das Fräulein in den dritten Hof geht, sonst gibt es Anstände.

GRUSCHE Ja, Simon.

Sie stehen unentschieden.

SIMON Ich begleite nur die Frau zu den Truppen, die treu geblieben sind. Wenn der Krieg aus ist, komm ich zurück. Zwei Wochen oder drei. Ich hoffe, meiner Verlobten wird die Zeit nicht zu lang, bis ich zurückkehre.

GRUSCHE Simon Chachava, ich werde auf dich warten.

Geh du ruhig in die Schlacht, Soldat
Die blutige Schlacht, die bittere Schlacht
Aus der nicht jeder wiederkehrt:
Wenn du wiederkehrst, bin ich da.
Ich werde warten auf dich unter der grünen Ulme
Ich werde warten auf dich unter der kahlen Ulme
Ich werde warten, bis der Letzte zurückgekehrt ist
Und danach.

Kommst du aus der Schlacht zurück
Keine Stiefel stehen vor der Tür
Ist das Kissen neben meinem leer
Und mein Mund ist ungeküßt
Wenn du wiederkehrst, wenn du wiederkehrst
Wirst du sagen können: alles ist wie einst.

SIMON Ich danke dir, Grusche Vachnadze. Und auf Wiedersehen!
Er verbeugt sich tief vor ihr. Sie verbeugt sich ebenso tief vor ihm. Dann läuft sie schnell weg, ohne sich umzuschauen. Aus dem Torbogen tritt der Adjutant.
DER ADJUTANT *barsch:* Spann die Gäule vor den großen Wagen, steh nicht herum, Dreckkerl.
Simon Chachava steht stramm und geht ab. Aus dem Torbogen kriechen zwei Diener, tief gebückt unter ungeheuren Kisten. Dahinter stolpert, gestützt von ihren Frauen, Natella Abaschwili. Eine Frau trägt ihr das Kind nach.
DIE GOUVERNEURSFRAU Niemand kümmert sich wieder. Ich weiß nicht, wo mir der Kopf steht. Wo ist Michel? Halt ihn nicht so ungeschickt! Die Kisten auf den Wagen! Hat man etwas vom Gouverneur gehört, Shalva?
DER ADJUTANT *schüttelt den Kopf:* Sie müssen sofort weg.
DIE GOUVERNEURSFRAU Weiß man etwas aus der Stadt?

DER ADJUTANT Nein, bis jetzt ist alles ruhig, aber es ist keine Minute zu verlieren. Die Kisten haben keinen Platz auf dem Wagen. Suchen Sie sich aus, was Sie brauchen.

Der Adjutant geht schnell hinaus.

DIE GOUVERNEURSFRAU Nur das Nötigste! Schnell, die Kisten auf, ich werde euch angeben, was mit muß.

Die Kisten werden niedergestellt und geöffnet.

Die Gouverneursfrau auf bestimmte Brokatkleider zeigend: Das Grüne und natürlich das mit dem Pelzchen! Wo sind die Ärzte? Ich bekomme wieder diese schauderhafte Migräne, das fängt immer in den Schläfen an. Das mit den Perlknöpfchen ...

Grusche herein.

Du läßt dir Zeit, wie? Hol sofort die Wärmflaschen.

Grusche läuft weg, kehrt später mit den Wärmflaschen zurück und wird von der Gouverneursfrau stumm hin und her beordert.

Die Gouverneursfrau beobachtet eine junge Kammerfrau: Zerreiß den Ärmel nicht!

DIE JUNGE FRAU Bitte, gnädige Frau, dem Kleid ist nichts passiert.

DIE GOUVERNEURSFRAU Weil ich dich gefaßt habe. Ich habe schon lang ein Auge auf dich. Nichts im Kopf, als dem Adjutanten Augen drehen! Ich bring dich um, du Hündin.

Schlägt sie.

DER ADJUTANT *kommt zurück:* Bitte, sich zu beeilen, Natella Abaschwili. In der Stadt wird gekämpft.

Wieder ab.

DIE GOUVERNEURSFRAU *läßt die junge Frau los:* Lieber Gott! Meint ihr, sie werden sich vergreifen an mir? Warum? *Alle schweigen. Sie beginnt, selber in den Kisten zu kramen.* Such das Brokatjäckchen! Hilf ihr! Was macht Michel? Schläft er?

DIE KINDERFRAU Jawohl, gnädige Frau.

DIE GOUVERNEURSFRAU Dann leg ihn für einen Augenblick hin und hol mir die Saffianstiefelchen aus der Schlafkammer, ich brauche sie zu dem Grünen. *Die Kinderfrau legt das Kind weg und läuft. Zu der jungen Frau:* Steh nicht herum, du! *Die junge Frau läuft davon.* Bleib, oder ich laß dich auspeitschen. *Pause.* Und wie das alles gepackt ist, ohne Liebe und ohne Verstand. Wenn man nicht alles selber angibt ... In solchen Augenblicken sieht man, was man für Dienstboten hat. Mascha! *Sie gibt eine Anweisung mit der Hand.* Fressen könnt ihr, aber Dankbarkeit gibt's nicht. Ich werd es mir merken.

DER ADJUTANT *sehr erregt:* Natella, kommen Sie sofort. Der Richter des Obersten Gerichts, Orbeliani, ist soeben von aufständischen Teppichwebern gehängt worden.

DIE GOUVERNEURSFRAU Warum? Das Silberne muß ich haben, es hat 1000 Piaster gekostet. Und das da und alle Pelze, und wo ist das Weinfarbene?

DER ADJUTANT *versucht, sie wegzuziehen:* In der Vorstadt sind Unruhen ausgebrochen. Wir müssen sogleich weg. *Ein Diener läuft davon.* Wo ist das Kind?

DIE GOUVERNEURSFRAU *ruft der Kinderfrau:* Maro! Mach das Kind fertig! Wo steckst du?

DER ADJUTANT *im Abgehen:* Wahrscheinlich müssen wir auf den Wagen verzichten und reiten.

Die Gouverneursfrau kramt in den Kleidern, wirft einige auf den Haufen, der mit soll, nimmt sie wieder weg. Geräusche werden hörbar, Trommeln. Der Himmel beginnt sich zu röten.

DIE GOUVERNEURSFRAU *verzweifelt kramend:* Ich kann das Weinfarbene nicht finden. *Achselzuckend zur zweiten Frau:* Nimm den ganzen Haufen und trag ihn zum Wagen. Und warum kommt Maro nicht zurück? Seid ihr alle verrückt geworden? Ich sagte es ja, es liegt ganz zuunterst.

DER ADJUTANT *zurück:* Schnell, schnell!

DIE GOUVERNEURSFRAU *zu der zweiten Frau:* Lauf! Wirf sie
einfach in den Wagen!

DER ADJUTANT Der Wagen geht nicht mit. Kommen Sie,
oder ich reite allein.

DIE GOUVERNEURSFRAU Maro! Bring das Kind! *Zur zweiten
Frau:* Such, Mascha! Nein, bring zuerst die Kleider an
den Wagen. Es ist ja Unsinn, ich denke nicht daran, zu
reiten! *Sich umwendend, sieht sie die Brandröte und er-
starrt:* Es brennt! *Sie stürzt weg; der Adjutant ihr nach.
Die zweite Frau folgt ihr kopfschüttelnd mit dem Pack
Kleider. Aus dem Torbogen kommen Dienstboten.*

DIE KÖCHIN Das muß das Osttor sein, was da brennt.

DER KOCH Fort sind sie. Und ohne den Wagen mit Lebens-
mitteln. Wie kommen jetzt wir weg?

EIN STALLKNECHT Ja, das ist ein ungesundes Haus für einige
Zeit. *Zu der dritten Kammerfrau:* Sulika, ich hol ein paar
Decken, wir hau'n ab.

DIE KINDERFRAU *aus dem Torbogen, mit Stiefelchen:* Gnädige
Frau!

EINE DICKE FRAU Sie ist schon weg.

DIE KINDERFRAU Und das Kind. *Sie läuft zum Kind, hebt es
auf.* Sie haben es zurückgelassen, diese Tiere. *Sie reicht es
Grusche.* Halt es mir einen Augenblick. *Lügnerisch:* Ich
sehe nach dem Wagen. *Sie läuft weg, der Gouverneursfrau
nach.*

GRUSCHE Was hat man mit dem Herrn gemacht?

DER STALLKNECHT *macht die Geste des Halsabschneidens:* Fft.

DIE DICKE FRAU *bekommt, die Geste sehend, einen Anfall:*
O Gottogottogottogott! Unser Herr Georgi Abaschwili!
Wie Milch und Blut bei der Morgenmette, und jetzt …
bringt mich weg. Wir sind alle verloren, müssen sterben in
Sünden. Wie unser Herr Georgi Abaschwili.

DIE DRITTE FRAU *ihr zuredend:* Beruhigen Sie sich, Nina. Man
wird Sie wegbringen. Sie haben niemand etwas getan.

DIE DICKE FRAU *während man sie hinausführt:* O Gottogott-ogott, schnell, schnell, alles weg, vor sie kommen, vor sie kommen!

DIE DRITTE FRAU Nina nimmt es sich mehr zu Herzen als die Frau. Sogar das Beweinen müssen sie von anderen machen lassen! *Sie entdeckt das Kind, das Grusche immer noch hält.* Das Kind! Was machst du damit?

GRUSCHE Es ist zurückgeblieben.

DIE DRITTE FRAU Sie hat es liegen lassen?! Michel, der in keine Zugluft kommen durfte!
Die Dienstboten versammeln sich um das Kind.

GRUSCHE Er wacht auf.

DER STALLKNECHT Leg ihn besser weg, du! Ich möchte nicht daran denken, was einer passiert, die mit dem Kind angetroffen wird. Ich hol unsre Sachen, ihr wartet.
Ab in den Palast.

DIE KÖCHIN Er hat recht. Wenn die anfangen, schlachten sie einander familienweise ab. Ich hole meine Siebensachen.
Alle sind abgegangen, nur zwei Frauen und Grusche mit dem Kind auf dem Arm stehen noch da.

DIE DRITTE FRAU Hast du nicht gehört, du sollst ihn weglegen!

GRUSCHE Die Kinderfrau hat ihn mir für einen Augenblick zum Halten gegeben.

DIE KÖCHIN Die kommt nicht zurück, du Einfältige!

DIE DRITTE FRAU Laß die Hände davon.

DIE KÖCHIN Sie werden mehr hinter ihm her sein als hinter der Frau. Es ist der Erbe. Grusche, du bist eine gute Seele, aber du weißt, die Hellste bist du nicht. Ich sag dir, wenn es den Aussatz hätte, wär's nicht schlimmer. Sieh zu, daß du durchkommst.
Der Stallknecht ist mit Bündeln zurückgekommen und verteilt sie an die Frauen. Außer Grusche machen sich alle zum Weggehen fertig.

GRUSCHE *störrisch:* Es hat keinen Aussatz. Es schaut einen an wie ein Mensch.

DIE KÖCHIN Dann schau du's nicht an. Du bist gerade die Dumme, der man alles aufladen kann. Wenn man zu dir sagt: du läufst nach dem Salat, du hast die längsten Beine, dann läufst du. Wir nehmen den Ochsenwagen, du kannst mit hinauf, wenn du schnell machst. Jesus, jetzt muß schon das ganze Viertel brennen!

DIE DRITTE FRAU Hast du nichts gepackt? Du, viel Zeit ist nicht mehr, bis die Panzerreiter von der Kaserne kommen. *Die beiden Frauen und der Stallknecht gehen ab.*

GRUSCHE Ich komme.

Grusche legt das Kind nieder, betrachtet es einige Augenblicke, holt aus den herumstehenden Koffern Kleidungsstücke und deckt damit das immer noch schlafende Kind zu. Dann läuft sie in den Palast, um ihre Sachen zu holen. Man hört Pferdegetrappel und das Aufschreien von Frauen. Herein der fette Fürst mit betrunkenen Panzerreitern. Einer trägt auf einem Spieß den Kopf des Gouverneurs.

DER FETTE FÜRST Hier, die Mitte! *Einer der Soldaten klettert auf den Rücken eines andern, nimmt den Kopf und hält ihn prüfend über den Torbogen.* Das ist nicht die Mitte, weiter rechts, so. Was ich machen lasse, meine Lieben, laß ich ordentlich machen. *Während der Soldat mit Hammer und Nagel den Kopf am Haar festmacht:* Heute früh an der Kirchentüre sagte ich Georgi Abaschwili: »Ich liebe heitere Himmel«, aber eigentlich liebe ich mehr den Blitz, der aus dem heitern Himmel kommt, ach ja. Schade ist nur, daß sie den Balg weggebracht haben, ich brauche ihn dringend. Sucht ihn in ganz Grusinien! 1000 Piaster! *Während Grusche, sich vorsichtig umschauend, an den Torbogen kommt, geht der fette Fürst mit den Panzerreitern ab. Man hört wieder Pferdegetrappel. Grusche trägt ein*

Bündel und geht auf das Portal zu. Fast schon dort, wendet sie sich um, zu sehen, ob das Kind noch da ist. Da beginnt der Sänger zu singen. Sie bleibt unbeweglich stehen.

DER SÄNGER
Als sie nun stand zwischen Tür und Tor, hörte sie
Oder vermeinte zu hören ein leises Rufen: das Kind
Rief ihr, wimmerte nicht, sondern rief ganz verständig
So jedenfalls war's ihr. »Frau«, sagte es, »hilf mir.«
Und es fuhr fort, wimmerte nicht, sondern sprach ganz
                                                    verständig:
»Wisse, Frau, wer einen Hilferuf nicht hört
Sondern vorbeigeht, verstörten Ohrs: nie mehr
Wird der hören den leisen Ruf des Liebsten noch
Im Morgengrauen die Amsel oder den wohligen
Seufzer der erschöpften Weinpflücker beim Angelus.«
Dies hörend

Grusche tut ein paar Schritte auf das Kind zu und beugt sich über es

                    ging sie zurück, das Kind
Noch einmal anzusehen. Nur für ein paar Augenblicke
Bei ihm zu sitzen, nur bis wer andrer käme –
Die Mutter vielleicht oder irgendwer –

sie setzt sich dem Kind gegenüber, an die Kiste gelehnt

Nur bevor sie wegging, denn die Gefahr war zu groß, die
                                                    Stadt erfüllt
Von Brand und Jammer.

Das Licht wird schwächer, als würde es Abend und Nacht.

Grusche ist in den Palast gegangen und hat eine Lampe und Milch geholt, von der sie dem Kinde zu trinken gibt.

Der Sänger laut:
Schrecklich ist die Verführung zur Güte!

Grusche sitzt jetzt deutlich wachend bei dem Kind die Nacht durch. Einmal zündet sie die kleine Lampe an, es anzuleuchten, einmal hüllt sie es wärmer in einen Brokatmantel. Mitunter horcht sie und schaut sich um, ob niemand kommt.

Lange saß sie bei dem Kinde
Bis der Abend kam, bis die Nacht kam
Bis die Frühdämmerung kam. Zu lange saß sie.
Zu lange sah sie
Das stille Atmen, die kleinen Fäuste
Bis die Verführung zu stark wurde gegen Morgen zu
Und sie aufstand, sich bückte und seufzend das Kind nahm
Und es wegtrug.

Sie tut, was der Sänger sagt, so, wie er es beschreibt.

Wie eine Beute nahm sie es an sich
Wie eine Diebin schlich sie sich weg.

3

DIE FLUCHT IN DIE NÖRDLICHEN GEBIRGE

DER SÄNGER
Als Grusche Vachnadze aus der Stadt ging
Auf der Grusinischen Heerstraße
Auf dem Weg in die nördlichen Gebirge
Sang sie ein Lied, kaufte Milch.

DIE MUSIKER
Wie will die Menschliche entkommen
Den Bluthunden, den Fallenstellern?
In die menschenleeren Gebirge wanderte sie
Auf der Grusinischen Heerstraße wanderte sie
Sang sie ein Lied, kaufte Milch.

*Grusche Vachnadze wandernd, auf dem Rücken in einem
Sack das Kind tragend, ein Bündel in der einen, einen
großen Stock in der anderen Hand.*

GRUSCHE *singt:*
Vier Generäle
Zogen nach Iran.
Der erste führte keinen Krieg
Der zweite hatte keinen Sieg
Dem dritten war das Wetter zu schlecht
Dem vierten kämpften die Soldaten nicht recht.
Vier Generäle
Und keiner kam an.
Sosso Robakidse
Marschierte nach Iran.
Er führte einen harten Krieg
Er hatte einen schnellen Sieg

Das Wetter war ihm gut genug
Und sein Soldat sich gut genug schlug.
Sosso Robakidse
Ist unser Mann.

Eine Bauernhütte taucht auf.

Grusche zum Kind: Mittagszeit, essen d'Leut. Da bleiben
wir also gespannt im Gras sitzen, bis die gute Grusche ein
Kännchen Milch erstanden hat. *Sie setzt das Kind zu Boden und klopft an der Tür der Hütte; ein alter Bauer
öffnet.* Kann ich ein Kännchen Milch haben und vielleicht
einen Maisfladen, Großvater?

DER ALTE Milch? Wir haben keine Milch! Die Herren Soldaten aus der Stadt haben unsere Ziegen. Geht zu den Herren Soldaten, wenn ihr Milch haben wollt.

GRUSCHE Aber ein Kännchen Milch für ein Kind werdet Ihr
doch haben, Großvater?

DER ALTE Und für ein »Vergelt's Gott!«?, wie?

GRUSCHE Wer redet von »Vergelt's Gott!« *Zieht ihr Porte-
monnaie.* Hier wird ausbezahlt wie bei Fürstens. Den
Kopf in den Wolken, den Hintern im Wasser! *Der Bauer
holt brummend Milch.* Und was kostet also das Kännchen?

DER ALTE Drei Piaster. Die Milch hat aufgeschlagen.

GRUSCHE Drei Piaster? Für den Spritzer? *Der Alte schlägt
ihr wortlos die Tür ins Gesicht.* Michel, hast du das gehört?
Drei Piaster! Das können wir uns nicht leisten. *Sie geht
zurück, setzt sich und gibt dem Kind die Brust.* Da müssen wir es noch mal so versuchen. Zieh, denk an die drei
Piaster! Es ist nichts drin, aber du meinst, du trinkst, und
das ist etwas. *Kopfschüttelnd sieht sie, daß das Kind nicht
mehr saugt. Sie steht auf, geht zur Tür zurück und klopft
wieder.* Großvater, mach auf, wir zahlen! *Leise:* Der
Schlag soll dich treffen. *Als der Alte wieder öffnet:* Ich

dachte, es würde einen halben Piaster kosten, aber das Kind muß was haben. Wie ist es mit einem Piaster?

DER ALTE Zwei.

GRUSCHE Mach nicht wieder die Tür zu. *Sie fischt lange in ihrem Beutelchen.* Da sind zwei. Die Milch muß aber anschlagen, wir haben noch einen langen Weg vor uns. Es ist eine Halsabschneiderei und eine Sünde.

DER ALTE Schlagt die Soldaten tot, wenn Ihr Milch wollt.

GRUSCHE *gibt dem Kind zu trinken:* Das ist ein teurer Spaß. Schluck, Michel, das ist ein halber Wochenlohn. Die Leute hier glauben, wir haben unser Geld mit dem Arsch verdient. Michel, Michel, mit dir hab ich mir etwas aufgeladen. *Den Brokatmantel betrachtend, in den das Kind gewickelt ist:* Ein Brokatmantel für 1000 Piaster und keinen Piaster für Milch. *Sie blickt nach hinten.* Dort zum Beispiel ist dieser Wagen mit den reichen Flüchtlingen, auf den müßten wir kommen.

Vor einer Karawanserei. Man sieht Grusche, gekleidet in den Brokatmantel, auf zwei vornehme Damen zutreten. Das Kind hat sie in den Armen. Ach, die Damen wünschen wohl auch hier zu übernachten? Es ist schrecklich, wie überfüllt alles ist, und keine Fuhrwerke aufzutreiben! Mein Kutscher kehrte einfach um, ich bin eine ganze halbe Meile zu Fuß gegangen. Barfuß! Meine persischen Schuhe – Sie kennen die Stöckel! Aber warum kommt hier niemand?

ÄLTERE DAME Der Wirt läßt auf sich warten. Seit in der Hauptstadt diese Dinge passiert sind, gibt es im ganzen Land keine Manieren mehr.

Heraus tritt der Wirt, ein sehr würdiger, langbärtiger Greis, gefolgt von seinem Hausknecht.

DER WIRT Entschuldigen Sie einen alten Mann, daß er Sie warten ließ, meine Damen. Mein kleiner Enkel zeigte mir einen Pfirsichbaum in Blüte, dort am Hang, jenseits der

Maisfelder. Wir pflanzen dort Obstbäume, ein paar Kirschen. Westlich davon – *er zeigt* – wird der Boden steiniger, die Bauern treiben ihre Schafe hin. Sie müßten die Pfirsichblüte sehen, das Rosa ist exquisit.

ÄLTERE DAME Sie haben eine fruchtbare Umgebung.

DER WIRT Gott hat sie gesegnet. Wie ist es mit der Baumblüte weiter südlich, meine Herrschaften? Sie kommen wohl von Süden?

JÜNGERE DAME Ich muß sagen, ich habe nicht eben aufmerksam die Landschaft betrachtet.

DER WIRT *höflich:* Ich verstehe, der Staub. Es empfiehlt sich sehr, auf unserer Heerstraße ein gemächliches Tempo einzuschlagen, vorausgesetzt, man hat es nicht eilig.

ÄLTERE DAME Nimm den Schleier um den Hals, Liebste. Die Abendwinde scheinen etwas kühl hier.

DER WIRT Sie kommen von den Gletschern des Janga-Tau herunter, meine Damen.

GRUSCHE Ja, ich fürchte, mein Sohn könnte sich erkälten.

ÄLTERE DAME Eine geräumige Karawanserei! Vielleicht treten wir ein?

DER WIRT Oh, die Damen wünschen Gemächer? Aber die Karawanserei ist überfüllt, meine Damen, und die Dienstboten sind weggelaufen. Ich bin untröstlich, aber ich kann niemanden mehr aufnehmen, nicht einmal mit Referenzen ...

JÜNGERE DAME Aber wir können doch nicht hier auf der Straße nächtigen.

ÄLTERE DAME *trocken:* Was kostet es?

DER WIRT Meine Damen, Sie werden begreifen, daß ein Haus in diesen Zeiten, wo so viele Flüchtlinge, sicher sehr respektable, jedoch bei den Behörden mißliebige Personen, Unterschlupf suchen, besondere Vorsicht walten lassen muß. Daher ...

ÄLTERE DAME Mein lieber Mann, wir sind keine Flüchtlinge.

Wir ziehen auf unsere Sommerresidenz in den Bergen, das ist alles. Wir würden nie auf die Idee kommen, Gastlichkeit zu beanspruchen, wenn wir sie – so dringlich benötigten.

DER WIRT *neigt anerkennend den Kopf:* Unzweifelhaft nicht. Ich zweifle nur, ob der zur Verfügung stehende winzige Raum den Damen genehm wäre. Ich muß 60 Piaster pro Person berechnen. Gehören die Damen zusammen?

GRUSCHE In gewisser Weise. Ich benötige ebenfalls eine Bleibe.

JÜNGERE DAME 60 Piaster! Das ist halsabschneiderisch.

DER WIRT *kalt:* Meine Damen, ich habe nicht den Wunsch, Hälse abzuschneiden, daher . . . *Wendet sich zum Gehen.*

ÄLTERE DAME Müssen wir von Hälsen reden? Komm schon. *Geht hinein, gefolgt vom Hausknecht.*

JÜNGERE DAME *verzweifelt:* 180 Piaster für einen Raum! *Sich umblickend nach Grusche:* Aber es ist unmöglich mit dem Kind. Was, wenn es schreit?

DER WIRT Der Raum kostet 180, für zwei oder drei Personen.

JÜNGERE DAME *dadurch verändert zu Grusche:* Andrerseits ist es mir unmöglich, Sie auf der Straße zu wissen, meine Liebe. Bitte, kommen Sie.

Sie gehen in die Karawanserei. Auf der anderen Seite der Bühne erscheint von hinten der Hausknecht mit etwas Gepäck. Hinter ihm die ältere Dame, dann die zweite Dame und Grusche mit dem Kind.

180 Piaster! Ich habe mich nicht so aufgeregt, seit der liebe Igor nach Haus gebracht wurde.

ÄLTERE DAME Mußt du von Igor reden?

JÜNGERE DAME Eigentlich sind wir vier Personen, das Kind ist auch jemand, nicht? *Zu Grusche:* Könnten Sie nicht wenigstens die Hälfte des Preises übernehmen?

GRUSCHE Das ist unmöglich. Sehen Sie, ich mußte schnell

aufbrechen, und der Adjutant hat vergessen, mir genügend Geld zuzustecken.

ÄLTERE DAME Haben Sie etwa die 60 auch nicht?

GRUSCHE Die werde ich zahlen.

JÜNGERE DAME Wo sind die Betten?

DER HAUSKNECHT Betten gibt's nicht. Da sind Decken und Säcke. Das werden Sie sich schon selber richten müssen. Seid froh, daß man euch nicht in eine Erdgrube legt wie viele andere. *Ab.*

JÜNGERE DAME Hast du das gehört? Ich werde sofort zum Wirt gehen. Der Mensch muß ausgepeitscht werden.

ÄLTERE DAME Wie dein Mann?

JÜNGERE DAME Du bist so roh. *Sie weint.*

ÄLTERE DAME Wie werden wir etwas Lagerähnliches herstellen?

GRUSCHE Das werde ich schon machen. *Sie setzt das Kind nieder.* Zu mehreren hilft man sich immer leichter durch. Sie haben noch den Wagen. *Den Boden fegend:* Ich wurde vollständig überrascht. ›Liebe Anastasia Katarinowska‹, sagte mein Mann mir vor dem Mittagsmahl, ›lege dich noch ein wenig nieder, du weißt, wie leicht du deine Migräne bekommst.‹ *Sie schleppt die Säcke herbei, macht Lager; die Damen, ihrer Arbeit folgend, sehen sich an.* ›Georgi‹, sagte ich dem Gouverneur, ›mit 60 Gästen zum Essen kann ich mich nicht niederlegen, auf die Dienstboten ist doch kein Verlaß, und Michel Georgiwitsch ißt nicht ohne mich.‹ *Zu Michel:* Siehst du Michel, es kommt alles in Ordnung, was hab ich dir gesagt! *Sie sieht plötzlich, daß die Damen sie merkwürdig betrachten und auch tuscheln.* So, da liegt man jedenfalls nicht auf dem nackten Boden. Ich habe die Decken doppelt genommen.

ÄLTERE DAME *befehlerisch:* Sie sind ja recht gewandt im Bettmachen, meine Liebe. Zeigen Sie Ihre Hände!

GRUSCHE *erschreckt:* Was meinen Sie?

JÜNGERE DAME Sie sollen Ihre Hände herzeigen.

Grusche zeigt den Damen ihre Hände.

Jüngere Dame triumphierend: Rissig! Ein Dienstbote!

ÄLTERE DAME *geht zur Tür, schreit hinaus:* Bedienung!

JÜNGERE DAME Du bist ertappt, Gaunerin. Gesteh ein, was du im Schilde geführt hast.

GRUSCHE *verwirrt:* Ich habe nichts im Schild geführt. Ich dachte, daß Sie uns vielleicht auf dem Wagen mitnehmen, ein Stückchen lang. Bitte, machen Sie keinen Lärm, ich gehe schon von selber.

JÜNGERE DAME *während die ältere Dame weiter nach Bedienung schreit:* Ja, du gehst, aber mit der Polizei. Vorläufig bleibst du. Rühr dich nicht vom Ort, du!

GRUSCHE Aber ich wollte sogar die 60 Piaster bezahlen, hier. *Zeigt die Börse.* Sehen Sie selbst, ich habe sie; da sind vier Zehner und da ist ein Fünfer, nein, das ist auch ein Zehner, jetzt sind's 60. Ich will nur das Kind auf den Wagen bekommen, das ist die Wahrheit.

JÜNGERE DAME Ach, auf den Wagen wolltest du! Jetzt ist es heraußen.

GRUSCHE Gnädige Frau, ich gestehe es ein, ich bin niedriger Herkunft, bitte, holen Sie nicht die Polizei. Das Kind ist von hohem Stand, sehen Sie das Linnen, es ist auf der Flucht, wie Sie selber.

JÜNGERE DAME Von hohem Stand, das kennt man. Ein Prinz ist der Vater, wie?

GRUSCHE *wild zur älteren Dame:* Sie sollen nicht schreien! Habt ihr denn gar kein Herz?

JÜNGERE DAME *zur älteren:* Gib acht, sie tut dir was an, sie ist gefährlich! Hilfe! Mörder!

DER HAUSKNECHT *kommt:* Was gibt es denn?

ÄLTERE DAME Die Person hat sich hier eingeschmuggelt, indem sie eine Dame gespielt hat. Wahrscheinlich eine Diebin.

JÜNGERE DAME Und eine gefährliche dazu. Sie wollte uns kaltmachen. Es ist ein Fall für die Polizei. Ich fühle schon meine Migräne kommen, ach Gott.

DER HAUSKNECHT Polizei gibt's im Augenblick nicht.

Zu Grusche: Pack deine Siebensachen, Schwester, und verschwinde wie die Wurst im Spinde.

GRUSCHE *nimmt zornig das Kind auf:* Ihr Unmenschen! Und sie nageln eure Köpfe schon an die Mauer!

DER HAUSKNECHT *schiebt sie hinaus:* Halt das Maul. Sonst kommt der Alte dazu, und der versteht keinen Spaß.

ÄLTERE DAME *zur jüngeren:* Sieh nach, ob sie nicht schon was gestohlen hat!

Während die Damen rechts fieberhaft nachsehen, ob etwas gestohlen ist, tritt links der Hausknecht mit Grusche aus dem Tor.

DER HAUSKNECHT Trau, schau, wem, sage ich. In Zukunft sieh dir die Leute an, bevor du dich mit ihnen einläßt.

GRUSCHE Ich dachte, ihresgleichen würden sie eher anständiger behandeln.

DER HAUSKNECHT Sie denken nicht daran. Glaub mir, es ist nichts schwerer, als einen faulen und nutzlosen Menschen nachzuahmen. Wenn du bei denen in den Verdacht kommst, daß du dir selber den Arsch wischen kannst oder schon einmal im Leben mit deinen Händen gearbeitet hast, ist es aus. Wart einen Augenblick, dann bring ich dir ein Maisbrot und ein paar Äpfel.

GRUSCHE Lieber nicht. Besser, ich gehe, bevor der Wirt kommt. Und wenn ich die Nacht durchlaufe, bin ich aus der Gefahr, denke ich.

Geht weg.

DER HAUSKNECHT *ruft ihr leise nach:* Halt dich rechts an der nächsten Kreuzung.

Sie verschwindet.

DER SÄNGER

Als Grusche Vachnadze nach dem Norden ging
Gingen hinter ihr die Panzerreiter des Fürsten Kazbeki.

DIE MUSIKER

Wie kann die Barfüßige den Panzerreitern entlaufen?
Den Bluthunden, den Fallenstellern?
Selbst in den Nächten jagen sie. Die Verfolger
Kennen keine Müdigkeit. Die Schlächter
Schlafen nur kurz.

Zwei Panzerreiter trotten zu Fuß auf der Heerstraße.

DER GEFREITE Holzkopf, aus dir kann nichts werden. Warum, du bist nicht mit dem Herzen dabei. Der Vorgesetzte merkt es an Kleinigkeiten. Wie ich's der Dicken gemacht habe vorgestern, du hast den Mann gehalten, wie ich dir's befohlen hab, und ihn in den Bauch getreten hast du, aber hast du's mit Freuden getan wie ein guter Gemeiner, oder nur anstandshalber? Ich hab dir zugeschaut, Holzkopf. Du bist wie das leere Stroh oder wie die klingende Schelle, du wirst nicht befördert. *Sie gehen eine Strecke schweigend weiter.* Bild dir nicht ein, daß ich's mir nicht merk, wie du in jeder Weise zeigst, wie du widersetzlich bist. Ich verbiet dir, daß du hinkst. Das machst du wieder nur, weil ich die Gäule verkauft habe, weil ich einen solchen Preis nicht mehr bekommen kann. Mit dem Hinken willst du mir andeuten, daß du nicht gern zu Fuß gehst, ich kenn dich. Es wird dir nicht nützen, es schadet dir. Singen!

DIE BEIDEN PANZERREITER *singen:*

Zieh ins Feld ich traurig meiner Straßen
Mußt' zu Hause meine Liebste lassen.
Soll'n die Freunde hüten ihre Ehre
Bis ich aus dem Felde wiederkehre.

DER GEFREITE Lauter!

DIE BEIDEN PANZERREITER

Wenn ich auf dem Kirchhof liegen werde

Bringt die Liebste mir ein' Handvoll Erde.
Sagt: Hier ruhn die Füße, die zu mir gegangen
Hier die Arme, die mich oft umfangen.
Sie gehen wieder eine Strecke schweigend.

DER GEFREITE Ein guter Soldat ist mit Leib und Seele dabei.
Für einen Vorgesetzten läßt er sich zerfetzen. Mit bre-
chendem Auge sieht er noch, wie sein Gefreiter ihm anerkennend zunickt. Das ist ihm Lohn genug, sonst will er
nichts. Aber dir wird nicht zugenickt, und verrecken mußt
du doch. Kruzifix, wie soll ich mit so einem Untergebenen
den Gouverneursbankert finden, das möcht ich wissen.
Sie gehen weiter.

DER SÄNGER
Als Grusche Vachnadze an den Fluß Sirra kam
Wurde die Flucht ihr zuviel, der Hilflose ihr zu schwer.
DIE MUSIKER
In den Maisfeldern die rosige Frühe
Ist dem Übernächtigen nichts als kalt. Der Milchgeschirre
Fröhliches Klirren im Bauerngehöft, von dem Rauch
aufsteigt
Klingt dem Flüchtling drohend. Die das Kind schleppt
Fühlt die Bürde und wenig mehr.

Grusche steht vor einem Bauernhof.
GRUSCHE Jetzt hast du dich wieder naß gemacht, und du
weißt, ich habe keine Windeln für dich. Michel, wir müssen uns trennen. Es ist weit genug von der Stadt. So werden sie nicht auf dich kleinen Dreck aus sein, daß sie dich
bis hierher verfolgen. Die Bauersfrau ist freundlich, und
schmeck, wie es nach Milch riecht. So leb also wohl, Michel,
ich will vergessen, wie du mich in den Rücken getreten
hast die Nacht durch, daß ich gut lauf, und du vergißt
die schmale Kost, sie war gut gemeint. Ich hätt dich gern

weiter gehabt, weil deine Nase so klein ist, aber es geht nicht. Ich hätt dir den ersten Hasen gezeigt und – daß du dich nicht mehr naß machst, aber ich muß zurück, denn auch mein Liebster, der Soldat, mag bald zurück sein, und soll er mich da nicht finden? Das kannst du nicht verlangen, Michel.

Eine dicke Bäuerin trägt eine Milchkanne in die Tür. Grusche wartet, bis sie drinnen ist, dann geht sie vorsichtig auf das Haus zu. Sie schleicht sich zur Tür und legt das Kind vor der Schwelle nieder. Dann wartet sie versteckt hinter einem Baum, bis die Bauersfrau wieder aus der Tür tritt und das Bündel findet.

DIE BÄUERIN Jesus Christus, was liegt denn da? Mann!

DER BAUER *kommt:* Was ist los? Laß mich meine Suppe essen.

DIE BÄUERIN *zum Kind:* Wo ist denn deine Mutter, hast du keine? Es ist ein Junge. Und das Linnen ist fein, das ist ein feines Kind. Sie haben's einfach vor die Tür gelegt, das sind Zeiten!

DER BAUER Wenn die glauben, wir füttern's ihnen, irren sie sich. Du bringst es ins Dorf zum Pfarrer, das ist alles.

DIE BÄUERIN Was soll der Pfarrer damit, es braucht eine Mutter. Da, es wacht auf. Glaubst du, wir könnten's nicht doch aufnehmen?

DER BAUER *schreiend:* Nein!

DIE BÄUERIN Wenn ich's in die Ecke neben den Lehnstuhl bette, ich brauch nur einen Korb, und auf das Feld nehm ich's mit. Siehst du, wie es lacht? Mann, wir haben ein Dach überm Kopf und können's tun, ich will nichts mehr hören.

Sie trägt es hinein, der Bauer folgt protestierend, Grusche kommt hinter dem Baum vor, lacht und eilt weg, in umgekehrter Richtung.

DER SÄNGER Warum heiter, Heimkehrerin?

DIE MUSIKER
Weil der Hilflose sich
Neue Eltern angelacht hat, bin ich heiter. Weil ich den
Lieben
Los bin, freue ich mich.

DER SÄNGER Und warum traurig?

DIE MUSIKER
Weil ich frei und ledig gehe, bin ich traurig.
Wie ein Beraubter
Wie ein Verarmter.

*Sie ist erst eine kurze Strecke gegangen, wenn sie den zwei
Panzerreitern begegnet, die ihre Spieße vorhalten.*

DER GEFREITE Jungfer, du bist auf die Heeresmacht gestoßen.
Woher kommst du? Wann kommst du? Hast du uner-
laubte Beziehungen zum Feind? Wo liegt er? Was für
Bewegungen vollführt er in deinem Rücken? Was ist mit
den Hügeln, was ist mit den Tälern, wie sind die Strümpfe
befestigt?
Grusche steht erschrocken.

GRUSCHE Sie sind stark befestigt, besser ihr macht einen
Rückzug.

DER GEFREITE Ich mache immer Rückzieher, da bin ich ver-
läßlich. Warum schaust du so auf den Spieß? »Der Soldat
läßt im Feld seinen Spieß keinen Augenblick aus der
Hand«, das ist Vorschrift, lern's auswendig, Holzkopf.
Also, Jungfer, wohin des Wegs?

GRUSCHE Zu meinem Verlobten, Herr Soldat, einem Simon
Chachava, bei der Palastwache in Nukha. Und wenn ich
ihm schreib, zerbricht er euch alle Knochen.

DER GEFREITE Simon Chachava, freilich, den kenn ich. Er hat
mir den Schlüssel gegeben, daß ich hin und wieder nach dir
schau. Holzkopf, wir werden unbeliebt. Wir müssen damit heraus, daß wir ehrliche Absichten haben. Jungfer, ich

bin eine ernste Natur, die sich hinter scheinbaren Scherzen versteckt, und so sag ich dir's dienstlich: ich will von dir ein Kind haben.

Grusche stößt einen leisen Schrei aus.

Holzkopf, sie hat uns verstanden. Was, das ist ein süßer Schrecken? »Da muß ich erst die Backnudeln aus dem Ofen nehmen, Herr Offizier. Da muß ich erst das zerrissene Hemd wechseln, Herr Oberst!« Spaß beiseite, Spieß beiseite. Jungfer, wir suchen ein gewisses Kind in dieser Gegend. Hast du gehört von einem solchen Kind, das hier aufgetaucht ist aus der Stadt, ein feines, in einem feinen Linnenzeug?

GRUSCHE Nein, ich hab nichts gehört.

DER SÄNGER

Lauf, Freundliche, die Töter kommen!

Hilf dem Hilflosen, Hilflose! Und so läuft sie.

Sie wendet sich plötzlich und läuft in panischem Entsetzen weg, zurück. Die Panzerreiter schauen sich an und folgen ihr fluchend.

DIE MUSIKER

In den blutigsten Zeiten

Leben freundliche Menschen.

Im Bauernhaus beugt die dicke Bäuerin sich über den Korb mit dem Kind, wenn Grusche Vachnadze hereinstürzt.

GRUSCHE Versteck es schnell. Die Panzerreiter kommen. Ich hab's vor die Tür gelegt, aber es ist nicht meins, es ist von feinen Leuten.

DIE BÄUERIN Wer kommt, was für Panzerreiter?

GRUSCHE Frag nicht lang. Die Panzerreiter, die es suchen.

DIE BÄUERIN In meinem Haus haben die nichts zu suchen. Aber mit dir hab ich ein Wörtlein zu reden, scheint's.

GRUSCHE Zieh ihm das feine Linnen aus, das verrät uns.

DIE BÄUERIN Linnen hin, Linnen her. In diesem Haus bestimm ich, und kotz mir nicht in meine Stube, warum hast du's ausgesetzt? Das ist eine Sünde.

GRUSCHE *schaut hinaus:* Gleich kommen sie hinter den Bäumen vor. Ich hätt nicht weglaufen dürfen, das hat sie gereizt. Was soll ich nur tun?

DIE BÄUERIN *späht ebenfalls hinaus und erschrickt plötzlich tief:* Jesus Maria, Panzerreiter!

GRUSCHE Sie sind hinter dem Kind her.

DIE BÄUERIN Aber wenn sie hereinkommen?

GRUSCHE Du darfst es ihnen nicht geben. Sag, es ist deins.

DIE BÄUERIN Ja.

GRUSCHE Sie spießen's auf, wenn du's ihnen gibst.

DIE BÄUERIN Aber wenn sie's verlangen? Ich hab das Silber für die Ernte im Haus.

GRUSCHE Wenn du's ihnen gibst, spießen sie's auf, hier in deiner Stube. Du mußt sagen, es ist deins.

DIE BÄUERIN Ja. Aber wenn sie's nicht glauben?

GRUSCHE Wenn du's fest sagst.

DIE BÄUERIN Sie brennen uns das Dach überm Kopf weg.

GRUSCHE Darum mußt du sagen, es ist deins. Er heißt Michel. Das hätt ich dir nicht sagen dürfen.
Die Bäuerin nickt.
Nick nicht so mit dem Kopf. Und zitter nicht, das sehn sie.

DIE BÄUERIN Ja.

GRUSCHE Hör auf mit deinem »Ja«, ich kann's nicht mehr hören. *Schüttelt sie.* Hast du selber keins?

DIE BÄUERIN *murmelnd:* Im Krieg.

GRUSCHE Dann ist er vielleicht selber ein Panzerreiter jetzt. Soll er da Kinder aufspießen? Da würdest du ihn schön zusammenstauchen. »Hör auf mit dem Herumfuchteln mit dem Spieß in meiner Stube, hab ich dich dazu aufgezogen? Wasch dir den Hals, bevor du mit deiner Mutter redest.«

DIE BÄUERIN Das ist wahr, er dürft mir's nicht machen.

GRUSCHE Versprich mir, daß du ihnen sagst, es ist deins.

DIE BÄUERIN Ja.

GRUSCHE Sie kommen jetzt.

*Klopfen an der Tür. Die Frauen antworten nicht. Herein
die Panzerreiter. Die Bäuerin verneigt sich tief.*

DER GEFREITE Da ist sie ja. Was hab ich dir gesagt? Meine
Nase. Ich riech sie. Ich hätt eine Frage an dich, Jungfer:
Warum bist du mir weggelaufen? Was hast du dir denn
gedacht, daß ich mit dir will? Ich wett, es war was Un-
keusches. Gestehe!

GRUSCHE *während die Bäuerin sich unaufhörlich verneigt:*
Ich hab die Milch auf dem Herd stehenlassen. Daran hab
ich mich erinnert.

DER GEFREITE Ich hab gedacht, es war, weil du geglaubt hast,
ich hab dich unkeusch angeschaut. So als ob ich mir was
denken könnt mit uns. So ein fleischlicher Blick, verstehst
du mich?

GRUSCHE Das hab ich nicht gesehen.

DER GEFREITE Aber es hätt sein können, nicht? Das mußt du
zugeben. Ich könnt doch eine Sau sein. Ich bin ganz offen
mit dir: Ich könnt mir allerhand denken, wenn wir allein
wären. *Zur Bäuerin:* Hast du nicht im Hof zu tun? Die
Hennen füttern?

DIE BÄUERIN *wirft sich plötzlich auf die Knie:* Herr Soldat,
ich hab von nichts gewußt. Brennt mir nicht das Dach
überm Kopf weg!

DER GEFREITE Von was redest du denn?

DIE BÄUERIN Ich hab nichts damit zu tun, Herr Soldat. Die
hat mir's vor die Tür gelegt, das schwör ich.

DER GEFREITE *sieht das Kind, pfeift:* Ah, da ist ja was Kleines
im Korb, Holzkopf, ich riech 1000 Piaster. Nimm die
Alte hinaus und halt sie fest, ich hab ein Verhör abzuhalten, wie mir scheint.

*Die Bäuerin läßt sich wortlos von dem Gemeinen ab-
führen.*

Da hast du ja das Kind, das ich von dir hab haben wollen. *Er geht auf den Korb zu.*

GRUSCHE Herr Offizier, es ist meins. Es ist nicht, das ihr sucht.

DER GEFREITE Ich will mir's anschaun. *Er beugt sich über den Korb. Grusche blickt sich verzweifelt um.*

GRUSCHE Es ist meins, es ist meins!

DER GEFREITE Feines Linnen.

Grusche stürzt sich auf ihn, ihn wegzuziehen. Er schleudert sie weg und beugt sich wieder über den Korb. Sie blickt sich verzweifelt um, sieht ein großes Holzscheit, hebt es in Verzweiflung auf und schlägt den Gefreiten von hinten über den Kopf, so daß er zusammensinkt. Schnell das Kind aufnehmend, läuft sie hinaus.

DER SÄNGER

Und auf der Flucht vor den Panzerreitern
Nach 22-tägiger Wanderung
Am Fuß des Janga-Tau-Gletschers
Nahm Grusche Vachnadze das Kind an Kindes Statt.

DIE MUSIKER

Nahm die Hilflose den Hilflosen an Kindes Statt.

Über einem halbvereisten Bach kauert Grusche Vachnadze und schöpft dem Kind Wasser mit der hohlen Hand.

GRUSCHE

Da dich keiner nehmen will
Muß nun ich dich nehmen
Mußt dich, da kein andrer war
Schwarzer Tag im magern Jahr
Halt mit mir bequemen.

Weil ich dich zu lang geschleppt
Und mit wunden Füßen

Weil die Milch so teuer war
Wurdest du mir lieb.
(Wollt dich nicht mehr missen.)
Werf dein feines Hemdlein weg
Wickle dich in Lumpen
Wasche dich und taufe dich
Mit dem Gletscherwasser.
(Mußt es überstehen.)

Sie hat dem Kind das feine Linnen ausgezogen und es in einen Lumpen gewickelt.

DER SÄNGER

Als Grusche Vachnadze, verfolgt von den Panzerreitern
An den Gletschersteg kam, der zu den Dörfern am
                      östlichen Abhang führt
Sang sie das Lied vom morschen Steg, wagte sie zwei
                      Leben.

Es hat sich ein Wind erhoben. Aus der Dämmerung ragt der Gletschersteg. Da ein Seil gebrochen ist, hängt er halb in den Abgrund. Händler, zwei Männer und eine Frau, stehen unschlüssig vor dem Steg, als Grusche mit dem Kind kommt. Jedoch fischt der eine Mann mit einer Stange nach dem hängenden Seil.

ERSTER MANN Laß dir Zeit, junge Frau, über den Paß kommst du doch nicht.

GRUSCHE Aber ich muß mit meinem Kleinen nach der Ostseite zu meinem Bruder.

DIE HÄNDLERIN Muß! Was heißt muß! Ich muß hinüber, weil ich zwei Teppiche in Atum kaufen muß, die eine verkaufen muß, weil ihr Mann hat sterben müssen, meine Gute. Aber kann ich, was ich muß, kann sie? Andrej fischt schon seit zwei Stunden nach dem Seil, und wie sollen wir es festmachen, wenn er es fischt, frage ich.

ERSTER MANN *horcht:* Sei still, ich glaube, ich höre was.

GRUSCHE *laut:* Der Steg ist nicht ganz morsch. Ich glaube, ich könnt es versuchen, daß ich hinüberkomm.

DIE HÄNDLERIN Ich würd das nicht versuchen, wenn der Teufel selber hinter mir her wär. Warum, es ist Selbstmord.

ERSTER MANN *ruft laut:* Haoh!

GRUSCHE Ruf nicht! *Zur Händlerin:* Sag ihm, er soll nicht rufen.

ERSTER MANN Aber es wird unten gerufen. Vielleicht haben sie den Weg verloren unten.

DIE HÄNDLERIN Und warum soll er nicht rufen? Ist da etwas faul mit dir? Sind sie hinter dir her?

GRUSCHE Dann muß ich's euch sagen. Hinter mir her sind die Panzerreiter. Ich hab einen niedergeschlagen.

ZWEITER MANN Schafft die Waren weg!

Die Händlerin versteckt einen Sack hinter einem Stein.

ERSTER MANN Warum hast du das nicht gleich gesagt? *Zu den andern:* Wenn sie die zu fassen kriegen, machen sie Hackfleisch aus ihr!

GRUSCHE Geht mir aus dem Weg, ich muß über den Steg.

DER ZWEITE MANN Das kannst du nicht. Der Abgrund ist 2000 Fuß tief.

ERSTER MANN Nicht einmal, wenn wir das Seil auffischen könnten, hätte es Sinn. Wir könnten es mit den Händen halten, aber die Panzerreiter könnten dann auf die gleiche Weise hinüber.

GRUSCHE Geht weg!

Rufe aus einiger Entfernung: »Nach dort oben!«

DIE HÄNDLERIN Sie sind ziemlich nah. Aber du kannst nicht das Kind auf den Steg nehmen. Er bricht beinah sicher zusammen. Und schau hinunter.

Grusche blickt in den Abgrund. Von unten kommen wieder Rufe der Panzerreiter.

ZWEITER MANN 2000 Fuß.

GRUSCHE Aber diese Menschen sind schlimmer.

ERSTER MANN Du kannst es schon wegen dem Kind nicht. Riskier dein Leben, wenn sie hinter dir her sind, aber nicht das von dem Kind.

ZWEITER MANN Es ist auch noch schwerer mit dem Kind.

DIE HÄNDLERIN Vielleicht muß sie wirklich hinüber. Gib es mir, ich versteck es, und du gehst allein auf den Steg.

GRUSCHE Das tu ich nicht. Wir gehören zusammen.

Zum Kind: Mitgegangen, mitgehangen.

Tief ist der Abgrund, Sohn
Brüchig der Steg
Aber wir wählen, Sohn
Nicht unsern Weg.

Mußt den Weg gehen
Den ich weiß für dich
Mußt das Brot essen
Das ich hab für dich.

Müssen die paar Bissen teilen
Kriegst von vieren drei
Aber ob sie groß sind
Weiß ich nicht dabei.

Ich probier's.

DIE HÄNDLERIN Das heißt Gott versuchen.

Rufe von unten.

GRUSCHE Ich bitt euch, werft die Stange weg, sonst fischen sie das Seil auf und kommen mir nach.

Sie betritt den schwankenden Steg. Die Händlerin schreit auf, als der Steg zu brechen scheint. Aber Grusche geht weiter und erreicht das andere Ufer.

ERSTER MANN Sie ist drüben.

DIE HÄNDLERIN *die auf die Knie gefallen war und gebetet hat, böse:* Sie hat sich doch versündigt.

Die Panzerreiter tauchen auf. Der Kopf des Gefreiten ist verbunden.

DER GEFREITE Habt ihr eine Person mit einem Kind gesehen?

ERSTER MANN *während der zweite Mann die Stange in den Abgrund wirft:* Ja. Dort ist sie. Und der Steg trägt euch nicht.

DER GEFREITE Holzkopf, das wirst du mir büßen.

Grusche, auf dem andern Ufer, lacht und zeigt den Panzerreitern das Kind. Sie geht weiter, der Steg bleibt zurück. Wind.

GRUSCHE *sich nach Michel umblickend:* Vor dem Wind mußt du dich nie fürchten, der ist auch nur ein armer Hund. Der muß die Wolken schieben und friert selber am meisten.

Es beginnt zu schneien.

Und der Schnee, Michel, ist nicht der schlimmste. Er muß nur die kleinen Föhren zudecken, daß sie ihm nicht umkommen im Winter. Und jetzt sing ich was auf dich, hör zu!

Sie singt:

Dein Vater ist ein Räuber
Deine Mutter ist eine Hur
Und vor dir wird sich verbeugen
Der ehrlichste Mann.

Der Sohn des Tigers
Wird die kleinen Pferde füttern
Das Kind der Schlange
Bringt Milch zu den Müttern.

4

IN DEN NÖRDLICHEN GEBIRGEN

DER SÄNGER
> Die Schwester wanderte sieben Tage.
> Über den Gletscher, hinunter die Hänge wanderte sie.
> Wenn ich eintrete im Haus meines Bruders, dachte sie
> Wird er aufstehen und mich umarmen.
> »Bist du da, Schwester?« wird er sagen.
> »Ich erwarte dich schon lang. Dies hier ist meine liebe Frau.
> Und dies ist mein Hof, mir zugefallen durch die Heirat.
> Mit den 11 Pferden und 31 Kühen. Setz dich!
> Mit deinem Kind setz dich an unsern Tisch und iß.«
> Das Haus des Bruders lag in einem lieblichen Tal.
> Als die Schwester zum Bruder kam, war sie krank von
> der Wanderung.
> Der Bruder stand auf vom Tisch.

Ein dickes Bauernpaar, das sich eben zum Essen gesetzt hat. Lavrenti Vachnadze hat schon die Serviette um den Hals, wenn Grusche, von einem Knecht gestützt und sehr bleich, mit dem Kind eintritt.

LAVRENTI VACHNADZE Wo kommst du her, Grusche?

GRUSCHE *schwach:* Ich bin über den Janga-Tau-Paß gegangen, Lavrenti.

KNECHT Ich hab sie vor der Heuhütte gefunden. Sie hat ein Kleines dabei.

DIE SCHWÄGERIN Geh und striegle den Falben.

Knecht ab.

LAVRENTI Das ist meine Frau, Aniko.

DIE SCHWÄGERIN Wir dachten, du bist im Dienst in Nukha.

GRUSCHE *die kaum stehen kann:* Ja, da war ich.

DIE SCHWÄGERIN War es nicht ein guter Dienst? Wir hörten, es war ein guter.

GRUSCHE Der Gouverneur ist umgebracht worden.

LAVRENTI Ja, da sollen Unruhen gewesen sein. Deine Tante hat es auch erzählt, erinnerst du dich, Aniko?

DIE SCHWÄGERIN Bei uns hier ist es ganz ruhig. Die Städter müssen immer irgendwas haben. *Ruft, zur Tür gehend:* Sosso, Sosso, nimm den Fladen noch nicht aus dem Ofen, hörst du? Wo steckst du denn?
Rufend ab.

LAVRENTI *leise, schnell:* Hast du einen Vater für es? *Als sie den Kopf schüttelt:* Ich dachte es mir. Wir müssen etwas ausfinden. Sie ist eine Fromme.

DIE SCHWÄGERIN *zurück:* Die Dienstboten! *Zu Grusche:* Du hast ein Kind?

GRUSCHE Es ist meins. *Sie sinkt zusammen, Lavrenti richtet sie auf.*

DIE SCHWÄGERIN Maria und Josef, sie hat eine Krankheit, was tun wir?
Lavrenti will Grusche zur Ofenbank führen. Aniko winkt entsetzt ab, sie weist auf den Sack an der Wand.

LAVRENTI *bringt Grusche zur Wand:* Setz dich. Setz dich. Es ist nur die Schwäche.

DIE SCHWÄGERIN Wenn das nicht der Scharlach ist!

LAVRENTI Da müßten Flecken da sein. Es ist Schwäche, sei ganz ruhig, Aniko. *Zu Grusche:* Sitzen ist besser, wie?

DIE SCHWÄGERIN Ist das Kind ihrs?

GRUSCHE Meins.

LAVRENTI Sie ist auf dem Weg zu ihrem Mann.

DIE SCHWÄGERIN So. Dein Fleisch wird kalt. *Lavrenti setzt sich und beginnt zu essen.* Kalt bekommt's dir nicht, das Fett darf nicht kalt sein. Du bist schwach auf dem Magen, das weißt du. *Zu Grusche:* Ist dein Mann nicht in der Stadt, wo ist er dann?

LAVRENTI Sie ist verheiratet überm Berg, sagt sie.

DIE SCHWÄGERIN So, überm Berg.

Setzt sich selber zum Essen.

GRUSCHE Ich glaub, ihr müßt mich wo hinlegen, Lavrenti.

DIE SCHWÄGERIN *verhört weiter:* Wenn's die Auszehrung ist,
kriegen wir sie alle. Hat dein Mann einen Hof?

GRUSCHE Er ist Soldat.

LAVRENTI Aber vom Vater hat er einen Hof, einen kleinen.

SCHWÄGERIN Ist er nicht im Krieg? Warum nicht?

GRUSCHE *mühsam:* Ja, er ist im Krieg.

SCHWÄGERIN Warum willst du da auf den Hof?

LAVRENTI Wenn er zurückkommt vom Krieg, kommt er auf
seinen Hof.

SCHWÄGERIN Aber du willst schon jetzt hin?

LAVRENTI Ja, auf ihn warten.

SCHWÄGERIN *ruft schrill:* Sosso, den Fladen!

GRUSCHE *murmelt fiebrig:* Einen Hof. Soldat. Warten. Setz
dich, iß.

SCHWÄGERIN Das ist der Scharlach.

GRUSCHE *auffahrend:* Ja, er hat einen Hof.

LAVRENTI Ich glaube, es ist Schwäche, Aniko. Willst du nicht
nach dem Fladen schauen, Liebe?

SCHWÄGERIN Aber wann wird er zurückkommen, wenn doch
der Krieg, wie man hört, neu losgebrochen ist? *Watschelt
rufend hinaus.* Sosso, wo steckst du? Sosso!

LAVRENTI *steht schnell auf, geht zu Grusche:* Gleich kriegst
du ein Bett in der Kammer. Sie ist eine gute Seele, aber
erst nach dem Essen.

GRUSCHE *hält ihm das Kind hin:* Nimm! *Er nimmt es, sich
umblickend.*

LAVRENTI Aber ihr könnt nicht lang bleiben. Sie ist fromm,
weißt du.

Grusche fällt zusammen. Der Bruder fängt sie auf.

Die Schwester war zu krank.
Der feige Bruder mußte sie beherbergen.
Der Herbst ging, der Winter kam.
Der Winter war lang
Der Winter war kurz.
Die Leute durften nichts wissen
Die Ratten durften nicht beißen
Der Frühling durfte nicht kommen.

Grusche in der Geschirrkammer am Webstuhl. Sie und das Kind, das am Boden hockt, sind eingehüllt in Decken.

GRUSCHE *singt beim Weben:*

Da machte der Liebe sich auf, zu gehen
Da lief die Anverlobte bettelnd ihm nach
Bettelnd und weinend, weinend und belehrend:
Liebster mein, Liebster mein
Wenn du nun ziehst in den Krieg
Wenn du nun fichtst gegen die Feinde
Stürz dich nicht vor den Krieg
Und fahr nicht hinter dem Krieg
Vorne ist ein rotes Feuer
Hinten ist roter Rauch.
Halt dich in des Krieges Mitten
Halt dich an den Fahnenträger.
Die ersten sterben immer
Die letzten werden auch getroffen
Die in der Mitten kommen nach Haus.

Michel, wir müssen schlau sein. Wenn wir uns klein machen wie die Kakerlaken, vergißt die Schwägerin, daß wir im Haus sind. Da können wir bleiben bis zur Schneeschmelze. Und wein nicht wegen der Kälte. Arm sein und auch noch frieren, das macht unbeliebt.
Herein Lavrenti. Er setzt sich zu seiner Schwester.

LAVRENTI Warum sitzt ihr so vermummt wie die Fuhrleute?
Vielleicht ist es zu kalt in der Kammer?

GRUSCHE *nimmt hastig den Schal ab:* Es ist nicht kalt, Lavrenti.

LAVRENTI Wenn es zu kalt wäre, dürftest du mit dem Kind
hier nicht sitzen. Da würde Aniko sich Vorwürfe machen.
Pause. Ich hoffe, der Pope hat dich nicht über das Kind
ausgefragt?

GRUSCHE Er hat gefragt, aber ich habe nichts gesagt.

LAVRENTI Das ist gut. Ich wollte über Aniko mit dir reden.
Sie ist eine gute Seele, nur sehr, sehr feinfühlig. Die Leute
brauchen noch gar nicht besonders zu reden über den Hof,
da ist sie schon ängstlich. Sie empfindet so tief, weißt du.
Einmal hat die Kuhmagd in der Kirche ein Loch im
Strumpf gehabt, seitdem trägt meine liebe Aniko zwei
Paar Strümpfe für die Kirche. Es ist unglaublich, aber es
ist die alte Familie. *Er horcht.* Bist du sicher, daß hier nicht
Ratten sind? Da könntet ihr nicht hier wohnen bleiben.
*Man hört ein Geräusch wie von Tropfen, die vom Dach
fallen.* Was tropft da?

GRUSCHE Es muß ein undichtes Faß sein.

LAVRENTI Ja, es muß ein Faß sein. – Jetzt bist du schon ein
halbes Jahr hier, nicht? Sprach ich von Aniko? Ich habe
ihr natürlich nicht das von dem Panzerreiter erzählt, sie
hat ein schwaches Herz. Daher weiß sie nicht, daß du
nicht eine Stelle suchen kannst, und daher ihre Bemerkun-
gen gestern. *Sie horchen wieder auf das Fallen der Schnee-
tropfen.* Kannst du dir vorstellen, daß sie sich um deinen
Soldaten sorgt? »Wenn er zurückkommt und sie nicht
findet?« sagt sie und liegt wach. »Vor dem Frühjahr kann
er nicht kommen«, sage ich. Die Gute. *Die Tropfen fallen
schneller.* Wann, glaubst du, wird er kommen, was ist
deine Meinung? *Grusche schweigt.* Nicht vor dem Frühjahr, das meinst du doch auch? *Grusche schweigt.* Ich sehe,

du glaubst selber nicht mehr, daß er zurückkommt. *Grusche sagt nichts.* Aber wenn es Frühjahr wird und der Schnee schmilzt hier und auf den Paßwegen, kannst du hier nicht mehr bleiben, denn dann können sie dich suchen kommen, und die Leute reden über ein lediges Kind. *Das Glockenspiel der fallenden Tropfen ist groß und stetig geworden.* Grusche, der Schnee schmilzt vom Dach, und es ist Frühjahr.

GRUSCHE Ja.

LAVRENTI *eifrig:* Laß mich dir sagen, was wir machen werden. Du brauchst eine Stelle, wo du hinkannst, und da du ein Kind hast – *er seufzt* –, mußt du einen Mann haben, daß nicht die Leute reden. Ich habe mich also vorsichtig erkundigt, wie wir einen Mann für dich bekommen können. Grusche, ich habe einen gefunden. Ich habe mit einer Frau gesprochen, die einen Sohn hat, gleich über dem Berg, ein kleiner Hof, sie ist einverstanden.

GRUSCHE Aber ich kann keinen Mann heiraten, ich muß auf Simon Chachava warten.

LAVRENTI Gewiß. Das ist alles bedacht. Du brauchst keinen Mann im Bett, sondern einen Mann auf dem Papier. So einen hab ich gefunden. Der Sohn der Bäuerin, mit der ich einig geworden bin, stirbt gerade. Ist das nicht herrlich? Er macht seinen letzten Schnaufer. Und alles ist, wie wir behauptet haben: »ein Mann überm Berg«! Und als du zu ihm kamst, tat er den letzten Schnaufer, und du warst eine Witwe. Was sagst du?

GRUSCHE Ich könnte ein Papier mit Stempeln brauchen für Michel.

LAVRENTI Ein Stempel macht alles aus. Ohne einen Stempel könnte nicht einmal der Schah in Persien behaupten, er ist der Schah. Und du hast einen Unterschlupf.

GRUSCHE Wofür tut die Frau es?

LAVRENTI 400 Piaster.

GRUSCHE Woher hast du die?

LAVRENTI *schuldbewußt:* Anikos Milchgeld.

GRUSCHE Dort wird uns niemand kennen. – Dann mach ich es.

LAVRENTI *steht auf:* Ich laß es gleich die Bäuerin wissen. *Schnell ab.*

GRUSCHE Michel, du machst eine Menge Umstände. Ich bin zu dir gekommen wie der Birnbaum zu den Spatzen. Und weil ein Christenmensch sich bückt und die Brotkruste aufhebt, daß nichts umkommt. Michel, ich wär besser schnell weggegangen an dem Ostersonntag in Nukha. Jetzt bin ich die Dumme.

DER SÄNGER

Der Bräutigam lag auf den Tod, als die Braut ankam.

Des Bräutigams Mutter wartete vor der Tür und trieb sie
zur Eile an.

Die Braut brachte ein Kind mit, der Trauzeuge versteckte
es während der Heirat.

Ein durch eine Zwischenwand geteilter Raum: Auf der einen Seite steht ein Bett. Hinter dem Fliegenschleier liegt starr ein sehr kranker Mann. Hereingerannt auf der anderen Seite kommt die Schwiegermutter, an der Hand zieht sie Grusche herein. Nach ihnen Lavrenti mit dem Kind.

SCHWIEGERMUTTER Schnell, schnell, sonst kratzt er uns ab, noch vor der Trauung. *Zu Lavrenti:* Aber daß sie schon ein Kind hat, davon war nicht die Rede.

LAVRENTI Was macht das aus? *Auf den Sterbenden:* Ihm kann es gleich sein, in seinem Zustand.

SCHWIEGERMUTTER Ihm! Aber ich überlebe die Schande nicht. Wir sind ehrbare Leute. *Sie fängt an zu weinen.* Mein Jussup hat es nicht nötig, eine zu heiraten, die schon ein Kind hat.

LAVRENTI Gut, ich leg 200 Piaster drauf. Daß der Hof an dich geht, hast du schriftlich, aber das Recht, hier zu wohnen, hat sie für zwei Jahre.

SCHWIEGERMUTTER *ihre Tränen trocknend:* Es sind kaum die Begräbniskosten. Ich hoff, sie leiht mir wirklich eine Hand bei der Arbeit. Und wo ist jetzt der Mönch hin? Er muß mir zum Küchenfenster hinausgekrochen sein. Jetzt kriegen wir das ganze Dorf auf den Hals, wenn sie Wind davon bekommen, daß es mit Jussup zu Ende geht, ach Gott! Ich werd ihn holen, aber das Kind darf er nicht sehn.

LAVRENTI Ich werd sorgen, daß er's nicht sieht, aber warum eigentlich ein Mönch und nicht ein Priester?

SCHWIEGERMUTTER Der ist ebenso gut. Ich hab nur den Fehler gemacht, daß ich ihm die Hälfte von den Gebühren schon vor der Trauung ausgezahlt hab, so daß er hat in die Schenke können. Ich hoff . . .

Sie läuft weg.

LAVRENTI Sie hat am Priester gespart, die Elende. Einen billigen Mönch genommen.

GRUSCHE Schick mir den Simon Chachava herüber, wenn er noch kommt.

LAVRENTI Ja. *Auf den Kranken:* Willst du ihn dir nicht anschauen?

Grusche, die Michel an sich genommen hat, schüttelt den Kopf.

Er rührt sich überhaupt nicht. Hoffentlich sind wir nicht zu spät gekommen.

Sie horchen auf. Auf der anderen Seite treten Nachbarn ein, blicken sich um und stellen sich an den Wänden auf. Sie beginnen, leise Gebete zu murmeln. Die Schwiegermutter kommt herein mit dem Mönch.

SCHWIEGERMUTTER *nach ärgerlicher Verwunderung zum Mönch:* Da haben wir's. *Sie verbeugt sich vor den Gästen.* Bitte, sich einige Augenblicke zu gedulden. Die Braut meines Sohnes ist aus der Stadt eingetroffen, und es wird eine Nottrauung vollzogen werden. *Mit dem Mönch in die Bettkammer. Ich habe gewußt, du wirst es ausstreuen. Zu Grusche:* Die Trauung kann sofort vollzogen werden. Hier ist die Urkunde. Ich und der Bruder der Braut... *Lavrenti versucht sich im Hintergrund zu verstecken, nachdem er schnell Michel wieder von Grusche genommen hat. Nun winkt ihn die Schwiegermutter weg.* Ich und der Bruder der Braut sind die Trauzeugen.

Grusche hat sich vor dem Mönch verbeugt. Sie gehen zur Bettstatt. Die Schwiegermutter schlägt den Fliegenschleier zurück. Der Mönch beginnt auf Lateinisch den Trauungstext herunterzuleiern. Währenddem bedeutet die Schwiegermutter Lavrenti, der dem Kind, um es vom Weinen abzuhalten, die Zeremonie zeigen will, unausgesetzt, es wegzugeben. Einmal blickt Grusche sich nach dem Kind um, und Lavrenti winkt ihr mit dem Händchen des Kindes zu.

DER MÖNCH Bist du bereit, deinem Mann ein getreues, folgsames und gutes Eheweib zu sein und ihm anzuhängen, bis der Tod euch scheidet?

GRUSCHE *auf das Kind blickend:* Ja.

DER MÖNCH *zum Sterbenden:* Und bist du bereit, deinem Eheweib ein guter, sorgender Ehemann zu sein, bis der Tod euch scheidet?

Da der Sterbende nicht antwortet, wiederholt der Mönch seine Frage und blickt sich dann um.

SCHWIEGERMUTTER Natürlich ist er es. Hast du das »Ja« nicht gehört?

DER MÖNCH Schön, wir wollen die Ehe für geschlossen erklären; aber wie ist es mit der Letzten Ölung?

SCHWIEGERMUTTER Nichts da. Die Trauung war teuer genug. Ich muß mich jetzt um die Trauergäste kümmern. *Zu Lavrenti:* Haben wir 700 gesagt?

LAVRENTI 600. *Er zahlt.* Und ich will mich nicht zu den Gästen setzen und womöglich Bekanntschaften schließen. Also leb wohl, Grusche, und wenn meine verwitwete Schwester einmal mich besuchen kommt, dann hört sie ein »Willkommen« von meiner Frau, sonst werde ich unangenehm.

Er geht. Die Trauergäste sehen ihm gleichgültig nach, wenn er durchgeht.

DER MÖNCH Und darf man fragen, was das für ein Kind ist?

SCHWIEGERMUTTER Ist da ein Kind? Ich seh kein Kind. Und du siehst auch keins. Verstanden? Sonst hab ich vielleicht auch allerhand gesehen, was hinter der Schenke vor sich ging. Komm jetzt.

Sie gehen in die Stube, nachdem Grusche das Kind auf den Boden gesetzt und zur Ruhe verwiesen hat. Sie wird den Nachbarn vorgestellt.

Das ist meine Schwiegertochter. Sie hat den teuren Jussup eben noch lebend angetroffen.

EINE DER FRAUEN Er liegt jetzt schon ein Jahr, nicht? Wie sie meinen Wassili eingezogen haben, war er noch beim Abschied dabei.

ANDERE FRAU So was ist schrecklich für einen Hof, der Mais am Halm und der Bauer im Bett. Es ist eine Erlösung für ihn, wenn er nicht mehr lange leidet. Sag ich.

ERSTE FRAU *vertraulich:* Und am Anfang dachten wir schon, es ist wegen dem Heeresdienst, daß er sich hingelegt hat, Sie verstehen. Und jetzt geht es mit ihm zu Ende!

SCHWIEGERMUTTER Bitte, setzt euch und eßt ein paar Kuchen.

Die Schwiegermutter winkt Grusche, und die beiden Frauen gehen in die Schlafkammer, wo sie Bleche mit Kuchen vom Boden aufheben. Die Gäste, darunter der Mönch, setzen sich auf den Boden und beginnen eine gedämpfte Unterhaltung.

EIN BAUER *dem der Mönch die Flasche gereicht hat, die er aus der Sutane zog:* Ein Kleines ist da, sagen Sie? Wo kann das dem Jussup passiert sein?

DRITTE FRAU Jedenfalls hat sie das Glück gehabt, daß sie noch unter die Haube gekommen ist, wenn er so schlecht dran ist.

SCHWIEGERMUTTER Jetzt schwatzen sie schon, und dabei fressen sie die Sterbekuchen auf, und wenn er nicht heut stirbt, kann ich morgen neue backen.

GRUSCHE Ich back sie.

SCHWIEGERMUTTER Wie gestern abend die Reiter vorbeigekommen sind und ich hinaus, wer es ist, und komm wieder herein, liegt er da wie ein Toter. Darum hab ich nach euch geschickt. Es kann nicht mehr lang gehen. *Sie horcht.*

DER MÖNCH Liebe Hochzeits- und Trauergäste! In Rührung stehen wir an einem Toten- und einem Brautbett, denn die Frau kommt unter die Haube und der Mann unter den Boden. Der Bräutigam ist schon gewaschen, und die Braut ist schon scharf. Denn im Brautbett liegt ein letzter Wille, und der macht sinnlich. Wie verschieden, ihr Lieben, sind doch die Geschicke der Menschen, ach! Der eine stirbt dahin, daß er ein Dach über den Kopf bekommt, und der andere verehelicht sich, damit das Fleisch zu Staub werde, aus dem er gemacht ist, Amen.

SCHWIEGERMUTTER *hat gehorcht:* Er rächt sich. Ich hätte keinen so billigen nehmen sollen, er ist auch danach. Ein teurer benimmt sich. In Sura ist einer, der steht sogar im Geruch der Heiligkeit, aber der nimmt natürlich auch ein Vermögen. So ein 50-Piaster-Priester hat keine Würde, und Frömmigkeit hat er eben für 50 Piaster und nicht mehr. Wie ich ihn in der Schenke geholt hab, hat er grad eine Rede gehalten und geschrien: »Der Krieg ist aus, fürchtet den Frieden!« Wir müssen hinein.

GRUSCHE *gibt Michel einen Kuchen:* Iß den Kuchen und bleib hübsch still, Michel. Wir sind jetzt respektable Leute.

Sie tragen die Kuchenbleche zu den Gästen hinaus. Der
Sterbende hat sich hinter dem Fliegenschleier aufgerichtet
und steckt jetzt seinen Kopf heraus, den beiden nach-
blickend. Dann sinkt er wieder zurück. Der Mönch hat
zwei Flaschen aus der Sutane gezogen und sie dem Bauer
gereicht, der neben ihm sitzt. Drei Musiker sind eingetre-
ten, denen der Mönch grinsend zugewinkt hat.

SCHWIEGERMUTTER *zu den Musikern:* Was wollt ihr mit diesen Instrumenten hier?

MUSIKER Bruder Anastasius hier – *auf den Mönch* – hat uns
gesagt, hier gibt's eine Hochzeit.

SCHWIEGERMUTTER Was, du bringst mir noch drei auf den
Hals? Wißt ihr, daß da ein Sterbender drinnen liegt?

DER MÖNCH Es ist eine verlockende Aufgabe für einen Künstler. Es könnte ein gedämpfter Freudenmarsch sein oder
ein schmissiger Trauertanz.

SCHWIEGERMUTTER Spielt wenigstens, vom Essen seid ihr ja
doch nicht abzuhalten.

Die Musiker spielen eine gemischte Musik. Die Frauen
reichen Kuchen.

DER MÖNCH Die Trompete klingt wie Kleinkindergeplärr,
und was trommelst du in alle Welt hinaus, Trommelchen?

DER BAUER NEBEN DEM MÖNCH Wie wär's, wenn die Braut
das Tanzbein schwänge?

DER MÖNCH Das Tanzbein oder das Tanzgebein?

DER BAUER NEBEN DEM MÖNCH *singt:*
Fräulein Rundarsch nahm 'nen alten Mann.
Sie sprach, es kommt auf die Heirat an.
Und war es ihr zum Scherzen
Dann dreht sie sich's aus dem Ehkontrakt
Geeigneter sind Kerzen.

Die Schwiegermutter wirft den Betrunkenen hinaus. Die
Musik bricht ab. Die Gäste sind verlegen. Pause.

DIE GÄSTE *laut:* Habt ihr das gehört: der Großfürst ist zurückgekehrt? – Aber die Fürsten sind doch gegen ihn. – Oh, der Perserschah, heißt es, hat ihm ein großes Heer geliehen, damit er Ordnung schaffen kann in Grusinien. – Wie soll das möglich sein? Der Perserschah ist doch der Feind des Großfürsten! – Aber auch ein Feind der Unordnung. – Jedenfalls ist der Krieg aus. Unsere Soldaten kommen schon zurück.

Grusche läßt das Kuchenblech fallen.

EINE FRAU *zu Grusche:* Ist dir übel? Das kommt von der Aufregung über den lieben Jussup. Setz dich und ruh aus, Liebe.

Grusche steht schwankend.

DIE GÄSTE Jetzt wird alles wieder, wie es früher gewesen ist. – Nur, daß die Steuern jetzt hinaufgehen, weil wir den Krieg zahlen müssen.

GRUSCHE *schwach:* Hat jemand gesagt, die Soldaten sind zurück?

EIN MANN Ich.

GRUSCHE Das kann nicht sein.

DER MANN *zu einer Frau:* Zeig den Schal! Wir haben ihn von einem Soldaten gekauft. Er ist aus Persien.

GRUSCHE *betrachtet den Schal:* Sie sind da. *Eine lange Pause entsteht. Grusche kniet nieder, wie um die Kuchen aufzusammeln. Dabei nimmt sie das silberne Kreuz an der Kette aus ihrer Bluse, küßt es und fängt an zu beten.*

SCHWIEGERMUTTER *da die Gäste schweigend nach Grusche blicken:* Was ist mit dir? Willst du dich nicht um unsere Gäste kümmern? Was gehen uns die Dummheiten in der Stadt an?

DIE GÄSTE *da Grusche, die Stirn am Boden, verharrt, das Gespräch laut wieder aufnehmend:* Persische Sättel kann man von den Soldaten kaufen, manche tauschen sie gegen Krücken ein. – Von den Oberen können nur die auf einer Seite einen Krieg gewinnen, aber die Soldaten verlieren ihn auf beiden Seiten. – Mindestens ist der Krieg jetzt aus. Das ist schon etwas, wenn sie euch nicht mehr zum Heeresdienst einziehen können. *Der Bauer in der Bettstatt hat sich erhoben. Er lauscht.* – Was wir brauchten, ist noch zwei Wochen gutes Wetter. – Unsere Birnbäume tragen dieses Jahr fast nichts.

SCHWIEGERMUTTER *bietet Kuchen an:* Nehmt noch ein wenig Kuchen. Laßt es euch schmecken. Es ist mehr da.
Die Schwiegermutter geht mit dem leeren Blech in die Kammer. Sie sieht den Kranken nicht und beugt sich nach einem vollen Kuchenblech am Boden, als er heiser zu sprechen beginnt.

JUSSUP Wieviel Kuchen wirst du ihnen noch in den Rachen stopfen? Hab ich einen Geldscheißer? *Die Schwiegermutter fährt herum und starrt ihn entgeistert an. Er klettert hinter dem Fliegenschleier hervor.* Haben sie gesagt, der Krieg ist aus?

DIE ERSTE FRAU *im anderen Raum freundlich zu Grusche:* Hat die junge Frau jemand im Feld?

DER MANN Da ist es eine gute Nachricht, daß sie zurückkommen, wie?

JUSSUP Glotz nicht. Wo ist die Person, die du mir als Frau aufgehängt hast?
Da er keine Antwort erhält, steigt er aus der Bettstatt und geht schwankend, im Hemd, an der Schwiegermutter vorbei in den andern Raum. Sie folgt ihm zitternd mit dem Kuchenblech.

DIE GÄSTE *erblicken ihn. Sie schreien auf:* Jesus, Maria und Josef! Jussup!
Alles steht alarmiert auf, die Frauen drängen zur Tür. Grusche, noch auf den Knien, dreht den Kopf herum und starrt auf den Bauern.

JUSSUP Totenessen, das könnte euch passen. Hinaus, bevor ich euch hinausprügle.

Die Gäste verlassen in Hast das Haus.

Jussup düster zu Grusche: Das ist ein Strich durch deine Rechnung, wie?

Da sie nichts sagt, dreht er sich um und nimmt einen Mais-kuchen vom Blech, das die Schwiegermutter hält.

DER SÄNGER

O Verwirrung! Die Ehefrau erfährt, daß sie einen Mann

hat!

Am Tag gibt es das Kind. In der Nacht gibt es den Mann.

Der Geliebte ist unterwegs Tag und Nacht.

Die Eheleute betrachten einander. Die Kammer ist eng.

Der Bauer sitzt nackt in einem hohen hölzernen Badezu-ber, und die Schwiegermutter gießt aus einer Kanne Was-ser nach. In der Kammer nebenan kauert Grusche bei Michel, der mit Strohmatten flicken spielt.

JUSSUP Das ist ihre Arbeit, nicht die deine. Wo steckt sie wieder?

SCHWIEGERMUTTER *ruft:* Grusche! Der Bauer fragt nach dir.

GRUSCHE *zu Michel:* Da sind noch zwei Löcher, die mußt du noch flicken.

JUSSUP *als Grusche hereintritt:* Schrubb mir den Rücken!

GRUSCHE Kann das der Bauer nicht selbst machen?

JUSSUP »Kann das der Bauer nicht selbst machen?« Nimm die Bürste, zum Teufel! Bist du die Ehefrau oder bist du eine Fremde? *Zur Schwiegermutter:* Zu kalt!

SCHWIEGERMUTTER Ich lauf und hol heißes Wasser.

GRUSCHE Laß mich laufen.

JUSSUP Du bleibst! *Schwiegermutter läuft.* Reib kräftiger! Und stell dich nicht so, du hast schon öfter einen nackten Kerl gesehen. Dein Kind ist nicht aus der Luft gemacht.

GRUSCHE Das Kind ist nicht in Freude empfangen, wenn der Bauer das meint.

JUSSUP *sieht sich grinsend nach ihr um:* Du schaust nicht so aus. *Grusche hört auf, ihn zu schrubben, und weicht zurück. Schwiegermutter herein.* Etwas Rares hast du mir da aufgehängt, einen Stockfisch als Ehefrau.

SCHWIEGERMUTTER Ihr fehlt's am guten Willen.

JUSSUP Gieß, aber vorsichtig. Au! Ich hab gesagt, vorsichtig. *Zu Grusche:* Ich würd mich wundern, wenn mit dir nicht was los wäre in der Stadt, warum bist du sonst hier? Aber davon rede ich nicht. Ich habe auch nichts gegen das Uneheliche gesagt, das du mir ins Haus gebracht hast, aber mit dir ist meine Geduld bald zu Ende. Das ist gegen die Natur. *Zur Schwiegermutter:* Mehr! *Zu Grusche:* Auch wenn dein Soldat zurückkäme, du bist verehelicht.

GRUSCHE Ja.

JUSSUP Aber dein Soldat kommt nicht mehr, du brauchst das nicht zu glauben.

GRUSCHE Nein.

JUSSUP Du bescheißt mich. Du bist meine Ehefrau und bist nicht meine Ehefrau. Wo du liegst, liegt nichts, und doch kann sich keine andere hinlegen. Wenn ich früh aufs Feld gehe, bin ich todmüd; wenn ich mich abends niederleg, bin ich wach wie der Teufel. Gott hat dir ein Geschlecht gemacht, und was machst du? Mein Acker trägt nicht genug, daß ich mir eine Frau in der Stadt kaufen kann, und da wäre auch noch der Weg. Die Frau jätet das Feld und macht die Beine auf, so heißt es im Kalender bei uns. Hörst du mich?

GRUSCHE Ja. *Leise:* Es ist mir nicht recht, daß ich dich bescheiße.

JUSSUP Es ist ihr nicht recht! Gieße nach! *Schwiegermutter gießt nach.* Au!

DER SÄNGER
Wenn sie am Bach saß, das Linnen zu waschen

Sah sie sein Bild auf der Flut und sein Gesicht wurde blässer
Mit gehenden Monden.
Wenn sie sich hochhob, das Linnen zu wringen
Hörte sie seine Stimme vom sausenden Ahorn, und seine
Stimme ward leiser
Mit gehenden Monden.
Ausflüchte und Seufzer wurden zahlreicher, Tränen und
Schweiß wurden vergossen.
Mit gehenden Monden wuchs das Kind auf.

An einem kleinen Bach hockt Grusche und taucht Linnen in das Wasser. In einiger Entfernung stehen ein paar Kinder. Grusche spricht mit Michel.

GRUSCHE Du kannst spielen mit ihnen, Michel, aber laß dich nicht herumkommandieren, weil du der Kleinste bist.

Michel nickt und geht zu den andern Kindern. Ein Spiel entwickelt sich.

DER GRÖSSTE JUNGE Heute ist das Kopfab-Spiel. *Zu einem Dicken:* Du bist der Fürst und lachst. *Zu Michel:* Du bist der Gouverneur. *Zu einem Mädchen:* Du bist die Frau des Gouverneurs, du weinst, wenn der Kopf abgehauen wird. Und ich schlag den Kopf ab. *Er zeigt sein Holzschwert.* Mit dem. Zuerst wird der Gouverneur in den Hof geführt. Voraus geht der Fürst, am Schluß kommt die Gouverneurin.

Der Zug formiert sich, der Dicke geht voraus und lacht. Dann kommen Michel und der größte Junge und dann das Mädchen, das weint.

MICHEL *bleibt stehen:* Auch Kopf abhaun.

DER GRÖSSTE JUNGE Das tu ich. Du bist der Kleinste. Gouverneur ist das Leichteste. Hinknien und sich den Kopf abhauen lassen, das ist einfach.

MICHEL Auch Schwert haben.

DER GRÖSSTE JUNGE Das ist meins. *Gibt ihm einen Tritt.*

DAS MÄDCHEN *ruft zu Grusche hinüber:* Er will nicht mittun.

GRUSCHE *lacht:* Das Entenjunge ist ein Schwimmer, heißt es.

DER GRÖSSTE JUNGE Du kannst den Fürsten machen, wenn du lachen kannst.

Michel schüttelt den Kopf.

DER DICKE JUNGE Ich lache am besten. Laß ihn den Kopf einmal abschlagen, dann schlägst du ihn ab und dann ich.

Der größte Junge gibt Michel widerstrebend das Holzschwert und kniet nieder. Der Dicke hat sich gesetzt, schlägt sich die Schenkel und lacht aus vollem Hals. Das Mädchen weint sehr laut. Michel schwingt das große Schwert und schlägt den Kopf ab, dabei fällt er um.

DER GRÖSSTE JUNGE Au! Ich werd dir zeigen, richtig zuzuhauen!

Michel läuft weg, die Kinder ihm nach. Grusche lacht, ihnen nachblickend. Wenn sie sich zurückwendet, steht der Soldat Simon Chachava jenseits des Baches. Er trägt eine abgerissene Uniform.

GRUSCHE Simon!

SIMON Ist das Grusche Vachnadze?

GRUSCHE Simon!

SIMON *förmlich:* Gott zum Gruß und Gesundheit dem Fräulein.

GRUSCHE *steht fröhlich auf und verbeugt sich tief:* Gott zum Gruß dem Herrn Soldaten. Und gottlob, daß er gesund zurück ist.

SIMON Sie haben bessere Fische gefunden als mich, so haben sie mich nicht gegessen, sagte der Schellfisch.

GRUSCHE Tapferkeit, sagte der Küchenjunge; Glück, sagte der Held.

SIMON Und wie steht es hier? War der Winter erträglich, der Nachbar rücksichtsvoll?

GRUSCHE Der Winter war ein wenig rauh, der Nachbar wie immer, Simon.

SIMON Darf man fragen: hat eine gewisse Person noch die Gewohnheit, das Bein ins Wasser zu stecken beim Wäschewaschen?

GRUSCHE Die Antwort ist »nein«, wegen der Augen im Gesträuch.

SIMON Das Fräulein spricht von Soldaten. Hier steht ein Zahlmeister.

GRUSCHE Sind das nicht 20 Piaster?

SIMON Und Logis.

GRUSCHE *bekommt Tränen in die Augen:* Hinter der Kaserne, unter den Dattelbäumen.

SIMON Genau dort. Ich sehe, man hat sich umgeschaut.

GRUSCHE Man hat.

SIMON Und man hat nicht vergessen. *Grusche schüttelt den Kopf.* So ist die Tür noch in den Angeln, wie man sagt? *Grusche sieht ihn schweigend an und schüttelt dann wieder den Kopf.* Was ist das? Ist etwas nicht in Ordnung?

GRUSCHE Simon Chachava, ich kann nie mehr zurück nach Nukha. Es ist etwas passiert.

SIMON Was ist passiert?

GRUSCHE Es ist so gekommen, daß ich einen Panzerreiter niedergeschlagen habe.

SIMON Da wird Grusche Vachnadze ihren guten Grund gehabt haben.

GRUSCHE Simon Chachava, ich heiße auch nicht mehr, wie ich geheißen habe.

SIMON *nach einer Pause:* Das verstehe ich nicht.

GRUSCHE Wann wechseln Frauen ihren Namen, Simon? Laß es mich dir erklären. Es ist nichts zwischen uns, alles ist gleichgeblieben zwischen uns, das mußt du mir glauben.

SIMON Wie soll nichts sein zwischen uns, und doch ist es anders?

GRUSCHE Wie soll ich dir das erklären, so schnell und mit dem Bach dazwischen, kannst du nicht über den Steg kommen?

SIMON Vielleicht ist es nicht mehr nötig.

GRUSCHE Es ist sehr nötig. Komm herüber, Simon, schnell!

SIMON Will das Fräulein sagen, man ist zu spät gekommen?
*Grusche sieht ihn verzweifelt an, das Gesicht tränen-
überströmt. Simon starrt vor sich hin. Er hat ein Holz-
stück aufgenommen und schnitzt daran.*

DER SÄNGER

Soviel Worte werden gesagt, soviel Worte werden
verschwiegen.
Der Soldat ist gekommen. Woher er gekommen ist, sagt
er nicht.
Hört, was er dachte, nicht sagte:
Die Schlacht fing an im Morgengraun, wurde blutig
am Mittag.
Der Erste fiel vor mir, der Zweite fiel hinter mir, der
Dritte neben mir.
Auf den Ersten trat ich, den Zweiten ließ ich, den Dritten
durchbohrte der Hauptmann.
Mein einer Bruder starb an einem Eisen, mein andrer
Bruder starb an einem Rauch.
Feuer schlugen sie auf meinem Nacken, meine Hände
gefroren in den Handschuhen, meine Zehen in den
Strümpfen.
Gegessen hab ich Espenknospen, getrunken hab ich
Ahornbrühe, geschlafen hab ich auf Steinen, im Wasser.

SIMON Im Gras sehe ich eine Mütze. Ist vielleicht schon was
Kleines da?

GRUSCHE Es ist da, Simon, wie könnt ich es verbergen, aber
wolle dich nicht kümmern, meines ist es nicht.

SIMON Man sagt: wenn der Wind einmal weht, weht er durch
jede Ritze. Die Frau muß nichts mehr sagen.
Grusche senkt den Kopf und sagt nichts mehr.

Sehnsucht hat es gegeben, gewartet worden ist nicht.
Der Eid ist gebrochen. Warum, wird nicht mitgeteilt.
Hört, was sie dachte, nicht sagte:
Als du kämpftest in der Schlacht, Soldat
Der blutigen Schlacht, der bitteren Schlacht
Traf ein Kind ich, das hilflos war
Hatt' es abzutun nicht das Herz.
Kümmern mußte ich mich um das, was verkommen wär
Bücken mußte ich mich nach den Brotkrumen am Boden
Zerreißen mußte ich mich für das, was nicht mein war
Das Fremde.
Einer muß der Helfer sein
Denn sein Wasser braucht der kleine Baum.
Es verläuft das Kälbchen sich, wenn der Hirte schläft
Und der Schrei bleibt ungehört.

SIMON Gib mir das Kreuz zurück, das ich dir gegeben habe.
Oder besser, wirf es in den Bach. *Er wendet sich zum Gehen.*

GRUSCHE Simon Chachava, geh nicht weg, es ist nicht meins,
es ist nicht meins! *Sie hört die Kinder rufen.* Was ist, Kinder?

STIMMEN Hier sind Soldaten! – Sie nehmen den Michel mit!
Grusche steht entgeistert. Auf sie zu kommen zwei Panzerreiter, Michel führend.

PANZERREITER Bist du die Grusche? *Sie nickt.* Ist das dein Kind?

GRUSCHE Ja. *Simon geht weg.* Simon!

PANZERREITER Wir haben den richterlichen Befehl, dieses
Kind, angetroffen in deiner Obhut, in die Stadt zu bringen, da der Verdacht besteht, es ist Michel Abaschwili, der
Sohn des Gouverneurs Georgi Abaschwili und seiner Frau
Natella Abaschwili. Hier ist das Papier mit den Siegeln.
Sie führen das Kind weg.

GRUSCHE *läuft nach, rufend:* Laßt es da, bitte, es ist meins!
DER SÄNGER

Die Panzerreiter nehmen das Kind fort, das teure. Die Un-
glückliche folgte ihnen in die Stadt, die gefährliche.
Die leibliche Mutter verlangte das Kind zurück. Die
                              Ziehmutter stand vor Gericht.
Wer wird den Fall entscheiden, wem wird das Kind
                              zuerteilt?
Wer wird der Richter sein, ein guter, ein schlechter?
Die Stadt brannte. Auf dem Richterstuhl saß der Azdak.

5

DIE GESCHICHTE DES RICHTERS

DER SÄNGER
    Hört nun die Geschichte des Richters:
    Wie er Richter wurde, wie er Urteil sprach, was er für
                                    ein Richter ist.
    An jenem Ostersonntag des großen Aufstands, als der
                                Großfürst gestürzt wurde
    Und sein Gouverneur Abaschwili, Vater unsres Kindes,
                              den Kopf einbüßte
    Fand der Dorfschreiber Azdak im Gehölz einen
            Flüchtling und versteckte ihn in seiner Hütte.

*Azdak, zerlumpt und angetrunken, hilft einem als Bettler
verkleideten Flüchtling in seine Hütte.*

AZDAK Schnaub nicht, du bist kein Gaul. Und es hilft dir
nicht bei der Polizei, wenn du läufst wie ein Rotz im
April. Steh, sag ich. *Er fängt den Flüchtling wieder ein,
der weitergetrottet ist, als wolle er durch die Hüttenwand
durchtrotten.* Setz dich nieder und futtre, da ist ein Stück
Käse. *Er kramt aus einer Kiste unter Lumpen einen Käse
heraus, und der Flüchtling beginnt gierig zu essen.* Lang
nichts gefressen? *Der Flüchtling brummt.* Warum bist du
so gerannt, du Arschloch? Der Polizist hätte dich überhaupt nicht gesehen.
DER FLÜCHTLING Mußte.
AZDAK Bammel? *Der Alte stiert ihn verständnislos an.*
Schiß? Furcht? Hm. Schmatz nicht wie ein Großfürst oder
eine Sau! Ich vertrag's nicht. Nur einen hochwohlgeborenen
Stinker muß man aushalten, wie Gott ihn geschaffen
hat. Dich nicht. Ich hab von einem Oberrichter gehört,

der beim Speisen im Bazar gefurzt hat vor lauter Unabhängigkeit. Wenn ich dir beim Essen zuschau, kommen mir überhaupt fürchterliche Gedanken. Warum redest du keinen Ton? *Scharf:* Zeig einmal deine Hand her! Hörst du nicht? Du sollst deine Hand herzeigen. *Der Flüchtling streckt ihm zögernd die Hand hin.* Weiß. Du bist also gar kein Bettler! Eine Fälschung, ein wandelnder Betrug! Und ich verstecke dich wie einen anständigen Menschen. Warum läufst du eigentlich, wenn du ein Grundbesitzer bist, denn das bist du, leugne es nicht, ich seh dir's am schuldbewußten Gesicht ab! *Steht auf.* Hinaus! *Der Flüchtling sieht ihn unsicher an.* Worauf wartest du, Bauernprügler?

DER FLÜCHTLING Bin verfolgt. Bitte um ungeteilte Aufmerksamkeit, mache Proposition.

AZDAK Was willst du machen, eine Proposition? Das ist die Höhe der Unverschämtheit! Er macht eine Proposition! Der Gebissene kratzt sich die Finger blutig, und der Blutegel macht eine Proposition. Hinaus, sage ich!

DER FLÜCHTLING Verstehe Standpunkt, Überzeugung. Zahle 100 000 Piaster für eine Nacht, ja?

AZDAK Was, du meinst, du kannst mich kaufen? Für 100 000 Piaster? Ein schäbiges Landgut. Sagen wir 150 000. Wo sind sie?

DER FLÜCHTLING Habe sie natürlich nicht bei mir. Werden geschickt, hoffe, zweifelt nicht.

AZDAK Zweifle tief. Hinaus!

Der Flüchtling steht auf und trottet zur Tür. Eine Stimme von außen.

STIMME Azdak!

Der Flüchtling macht kehrt, trottet in die entgegengesetzte Ecke, bleibt stehen.

AZDAK *ruft:* Ich bin nicht zu sprechen. *Tritt in die Tür.* Schnüffelst du wieder herum, Schauwa?

POLIZIST SCHAUWA *draußen, vorwurfsvoll:* Du hast wieder einen Hasen gefangen, Azdak. Du hast mir versprochen, es kommt nicht mehr vor.

AZDAK *streng:* Rede nicht von Dingen, die du nicht verstehst, Schauwa. Der Hase ist ein gefährliches und schädliches Tier, das die Pflanzen auffrißt, besonders das sogenannte Unkraut, und deshalb ausgerottet werden muß.

SCHAUWA Azdak, sei nicht so furchtbar zu mir. Ich verliere meine Stellung, wenn ich nicht gegen dich einschreite. Ich weiß doch, du hast ein gutes Herz.

AZDAK Ich habe kein gutes Herz. Wie oft soll ich dir sagen, daß ich ein geistiger Mensch bin?

SCHAUWA *listig:* Ich weiß, Azdak. Du bist ein überlegener Mensch, das sagst du selbst; so frage ich dich, ein Christ und ein Ungelernter: Wenn dem Fürsten ein Hase gestohlen wird, und ich bin Polizist, was soll ich da tun mit dem Frevler?

AZDAK Schauwa, Schauwa, schäm dich! Da stehst du und fragst mich eine Frage, und es gibt nichts, was verführerischer sein kann als eine Frage. Als wenn du ein Weib wärst, etwa die Nunowna, das schlechte Geschöpf, und mir deinen Schenkel zeigst als Nunowna und mich fragst, was soll ich mit meinem Schenkel tun, er beißt mich, ist sie da unschuldig, wie sie tut? Nein. Ich fange einen Hasen, aber du fängst einen Menschen. Ein Mensch ist nach Gottes Ebenbild gemacht, aber nicht ein Hase, das weißt du. Ich bin ein Hasenfresser, aber du bist ein Menschenfresser, Schauwa, und Gott wird darüber richten. Schauwa, geh nach Haus und bereue. Nein, halt, da ist vielleicht was für dich. *Er blickt nach dem Flüchtling, der zitternd dasteht.* Nein, doch nicht, da ist nix. Geh nach Haus und bereue. *Er schlägt ihm die Tür vor der Nase zu. Zu dem Flüchtling:* Jetzt wunderst du dich, wie? Daß ich dich nicht ausgeliefert habe. Aber ich könnte diesem Vieh von einem

Polizisten nicht einmal eine Wanze ausliefern, es widerstrebt mir. Zitter nicht vor einem Polizisten. So alt und noch so feige. Iß deinen Käse fertig, aber wie ein armer Mann, sonst fassen sie dich doch noch. Muß ich dir auch noch zeigen, wie ein armer Mann sich aufführt? *Er drückt ihn ins Sitzen nieder und gibt ihm das Käsestück wieder in die Hand.* Die Kiste ist der Tisch. Leg die Ellenbogen auf'n Tisch, und jetzt umzingelst du den Käse auf'm Teller, als ob der dir jeden Augenblick herausgerissen werden könnte, woher sollst du sicher sein? Nimm das Messer wie eine zu kleine Sichel und schau nicht so gierig, mehr kummervoll auf den Käse, weil er schon entschwindet, wie alles Schöne. *Schaut ihm zu.* Sie sind hinter dir her, das spricht für dich, nur wie kann ich wissen, daß sie sich nicht irren in dir? In Tiflis haben sie einmal einen Gutsbesitzer gehängt, einen Türken. Er hat ihnen nachweisen können, daß er seine Bauern geviertelt hat und nicht nur halbiert, wie es üblich ist, und Steuern hat er herausgepreßt, doppelt wie die andern, sein Eifer war über jeden Verdacht, und doch haben sie ihn gehängt, wie einen Verbrecher, nur weil er ein Türk war, für was er nix gekonnt hat, eine Ungerechtigkeit. Er ist an den Galgen gekommen wie der Pontius ins Credo. Mit einem Wort: ich trau dir nicht.

DER SÄNGER

So gab der Azdak dem alten Bettler ein Nachtlager.
Erfuhr er, daß es der Großfürst selber war, der Würger
Schämte er sich, klagte er sich an, befahl er dem Polizisten
Ihn nach Nukha zu führen, vor Gericht, zum Urteil.

Im Hof des Gerichts hocken drei Panzerreiter und trinken. Von einer Säule hängt ein Mann in Richterrobe. Herein Azdak, gefesselt und Schauwa hinter sich schleppend.
AZDAK *ruft aus:* Ich hab dem Großfürsten zur Flucht verhol-

fen, dem Großdieb, dem Großwürger! Ich verlange meine
strenge Aburteilung in öffentlicher Verhandlung, im Namen der Gerechtigkeit!

DER ERSTE PANZERREITER Was ist das für ein komischer
Vogel?

SCHAUWA Das ist unser Schreiber Azdak.

AZDAK Ich bin der Verächtliche, der Verräterische, der Ge-
zeichnete! Reportier, Plattfuß, ich hab verlangt, daß ich
in Ketten in die Hauptstadt gebracht werd, weil ich ver-
sehentlich den Großfürsten, beziehungsweise Großgauner,
beherbergt habe, wie mir erst nachträglich durch dieses
Dokument klargeworden ist, das ich in meiner Hütte gefunden habe. *Die Panzerreiter studieren das Dokument.
Zu Schauwa:* Sie können nicht lesen. Siehe, der Gezeich-
nete klagt sich selber an! Reportier, wie ich dich gezwungen hab, daß du mit mir die halbe Nacht hierherläufst,
damit alles aufgeklärt wird.

SCHAUWA Alles unter Drohungen, das ist nicht schön von dir,
Azdak.

AZDAK Halt das Maul, Schauwa, das verstehst du nicht. Eine
neue Zeit ist gekommen, die über dich hinwegdonnern
wird, du bist erledigt, Polizisten werden ausgemerzt, pfft.
Alles wird untersucht, aufgedeckt. Da meldet sich einer
lieber von selber, warum, er kann dem Volk nicht ent-
rinnen. Reportier, wie ich durch die Schuhmachergasse geschrien hab. *Er macht es wieder mit großer Geste vor, auf
die Panzerreiter schielend.* »Ich hab den Großgauner ent-
rinnen lassen aus Unwissenheit, zerreißt mich, Brüder!«
Damit ich allem gleich zuvorkomm.

DER ERSTE PANZERREITER Und was haben sie dir geant-
wortet?

SCHAUWA Sie haben ihn getröstet in der Schlächtergasse und
sich krank gelacht über ihn in der Schuhmachergasse, das
war alles.

AZDAK Aber bei euch ist's anders, ich weiß, ihr seid eisern. Brüder, wo ist der Richter, ich muß untersucht werden.

DER ERSTE PANZERREITER *zeigt auf den Gehenkten:* Hier ist der Richter. Und hör auf, uns zu brüdern, auf dem Ohr sind wir empfindlich heut abend.

AZDAK »Hier ist der Richter«! Das ist eine Antwort, die man in Grusinien noch nie gehört hat. Städter, wo ist seine Exzellenz, der Herr Gouverneur? *Er zeigt auf den Galgen:* Hier ist seine Exzellenz, Fremdling. Wo ist der Obersteuereintreiber? Der Profoß Werber? Der Patriarch? Der Polizeihauptmann? Hier, hier, hier, alle hier. Brüder, das ist es, was ich mir von euch erwartet habe.

DER ZWEITE PANZERREITER Halt! Was hast du dir da erwartet, Vogel?

AZDAK Was in Persien passierte, Brüder, was in Persien passierte.

DER ZWEITE PANZERREITER Und was passierte denn in Persien?

AZDAK Vor 40 Jahren. Aufgehängt, alle. Wesire, Steuereintreiber. Mein Großvater, ein merkwürdiger Mensch, hat es gesehen. Drei Tage lang, überall.

DER ZWEITE PANZERREITER Und wer regierte, wenn der Wesir gehängt war?

AZDAK Ein Bauer.

DER ZWEITE PANZERREITER Und wer kommandierte das Heer?

AZDAK Ein Soldat, Soldat.

DER ZWEITE PANZERREITER Und wer zahlte die Löhnung aus?

AZDAK Ein Färber, ein Färber zahlte die Löhnung aus.

DER ZWEITE PANZERREITER War es nicht vielleicht ein Teppichweber?

DER ERSTE PANZERREITER Und warum ist das alles passiert, du Persischer!

AZDAK Warum ist das alles passiert? Ist da ein besonderer Grund nötig? Warum kratzt du dich, Bruder? Krieg! Zu lang Krieg! Und keine Gerechtigkeit! Mein Großvater hat ein Lied mitgebracht, wie es dort gewesen ist. Ich und mein Freund, der Polizist, werden es euch vorsingen. *Zu Schauwa:* Und halt den Strick gut, das paßt dazu. *Er singt, von Schauwa am Strick gehalten:*

Warum bluten unsere Söhne nicht mehr, weinen unsere
Töchter nicht mehr?
Warum haben Blut nur mehr die Kälber im Schlachthaus?
Tränen nur mehr die Weiden gegen Morgen am Urmisee?
Der Großkönig muß eine neue Provinz haben, der Bauer
muß sein Milchgeld hergeben.
Damit das Dach der Welt erobert wird, werden die
Hüttendächer abgetragen.
Unsere Männer werden in alle vier Winde verschleppt,
damit die Oberen zu Hause tafeln können.
Die Soldaten töten einander, die Feldherrn grüßen
einander.
Der Witwe Steuergroschen wird angebissen, ob er echt ist.
Die Schwerter zerbrechen.
Die Schlacht ist verloren, aber die Helme sind bezahlt
worden.

Ist es so? Ist es so?

SCHAUWA Ja, ja, ja, ja, ja, es ist so.

AZDAK Wollt ihr es zu Ende hören?

Der erste Panzerreiter nickt.

DER ZWEITE PANZERREITER *zum Polizisten:* Hat er dir das Lied beigebracht?

SCHAUWA Jawohl. Nur meine Stimme ist nicht gut.

DER ZWEITE PANZERREITER Nein. *Zu Azdak:* Sing nur weiter.

AZDAK Die zweite Strophe behandelt den Frieden.

Singt:

Die Ämter sind überfüllt, die Beamten sitzen bis auf die
Straße.
Die Flüsse treten über die Ufer und verwüsten die Felder.

Die ihre Hosen nicht selber runterlassen können, regieren
Reiche.
Sie können nicht auf vier zählen, fressen aber acht Gänge.
Die Maisbauern blicken sich nach Kunden um, sehen nur
Verhungerte.
Die Weber gehen von den Webstühlen in Lumpen.
Ist es so? Ist es so?

SCHAUWA Ja, ja, ja, ja, ja, es ist so.

AZDAK

Darum bluten unsere Söhne nicht mehr, weinen unsere
Töchter nicht mehr.
Darum haben Blut nur mehr die Kälber im Schlachthaus.
Tränen nur mehr die Weiden gegen Morgen am Urmisee.

DER ERSTE PANZERREITER *nach einer Pause:* Willst du dieses
Lied hier in der Stadt singen?

AZDAK Was ist falsch daran?

DER ERSTE PANZERREITER Siehst du die Röte dort? *Azdak
blickt sich um.* Am Himmel ist eine Brandröte. Das ist in
der Vorstadt. Als der Fürst Kazbeki heute früh den Gouverneur Abaschwili köpfen ließ, haben unsere Teppichweber auch die »persische Krankheit« bekommen und gefragt, ob der Fürst Kazbeki nicht auch zu viele Gänge
frißt. Und heute mittag haben sie dann den Stadtrichter
aufgeknüpft. Aber wir haben sie zu Brei geschlagen für
zwei Piaster pro Teppichweber, verstehst du?

AZDAK *nach einer Pause:* Ich verstehe.
*Er blickt sie scheu an und schleicht weg, zur Seite, setzt
sich auf den Boden, den Kopf in den Händen.*

DER ERSTE PANZERREITER *nachdem alle getrunken haben,
zum dritten:* Paß mal auf, was jetzt kommt. *Der erste und
zweite Panzerreiter gehen auf Azdak zu, versperren ihm
den Ausgang.*

SCHAUWA Ich glaube nicht, daß er ein direkt schlechter

Mensch ist, meine Herren. Ein bissel Hühnerstehlen, und hier und da ein Hase vielleicht.

DER ZWEITE PANZERREITER *tritt zu Azdak:* Du bist hergekommen, daß du im Trüben fischen kannst, wie?

AZDAK *schaut zu ihm auf:* Ich weiß nicht, warum ich hergekommen bin.

DER ZWEITE PANZERREITER Bist du einer, der es mit den Teppichwebern hält? *Azdak schüttelt den Kopf.* Und was ist mit diesem Lied?

AZDAK Von meinem Großvater. Ein dummer, unwissender Mensch.

DER ZWEITE PANZERREITER Richtig. Und was mit dem Färber, der die Löhnung auszahlte?

AZDAK Das war in Persien.

DER ERSTE PANZERREITER Und was mit der Selbstbeschuldigung, daß du den Großfürsten nicht mit eigenen Händen gehängt hast?

AZDAK Sagte ich euch nicht, daß ich ihn habe laufen lassen?

SCHAUWA Ich bezeuge es. Er hat ihn laufen lassen.

Die Panzerreiter schleppen den schreienden Azdak zum Galgen. Dann lassen sie ihn los und lachen ungeheuer. Azdak stimmt in das Lachen ein und lacht am lautesten. Dann wird er losgebunden. Alle beginnen zu trinken. Herein der fette Fürst mit einem jungen Mann.

DER ERSTE PANZERREITER *zu Azdak:* Da kommt deine neue Zeit.

Neues Gelächter.

DER FETTE FÜRST Und was gäbe es hier wohl zu lachen, meine Freunde? Erlaubt mir ein ernstes Wort. Die Fürsten Grusiniens haben gestern morgen die kriegslüsterne Regierung des Großfürsten gestürzt und seine Gouverneure beseitigt. Leider ist der Großfürst selber entkommen. In dieser schicksalhaften Stunde haben unsere Teppichweber, diese ewig Unruhigen, sich nicht entblödet, einen Aufstand anzuzetteln und den allseits beliebten Stadtrichter, unsern teuren Illo Orbeliani, zu hängen. Ts, ts, ts. Meine Freunde, wir brauchen Frieden, Frieden, Frieden in Grusinien. Und Gerechtigkeit! Hier bringe ich euch den lieben Bizergan Kazbeki, meinen Neffen, ein begabter Mensch, der soll der neue Richter werden. Ich sage: das Volk hat die Entscheidung.

DER ERSTE PANZERREITER Heißt das, wir wählen den Richter?

DER FETTE FÜRST So ist es. Das Volk stellt einen begabten Menschen auf. Beratet euch, Freunde. *Während die Panzerreiter die Köpfe zusammenstecken:* Sei ganz ruhig, Füchschen, die Stelle hast du. Und wenn erst der Großfürst geschnappt ist, brauchen wir auch dem Pack nicht mehr in den Arsch zu kriechen.

DIE PANZERREITER *unter sich:* Sie haben die Hosen voll, weil sie den Großfürsten noch nicht geschnappt haben. – Das verdanken wir diesem Dorfschreiber, er hat ihn laufen lassen. – Sie fühlen sich noch nicht sicher, da heißt es »meine Freunde« und »das Volk hat die Entscheidung«. – Jetzt will er sogar Gerechtigkeit für Grusinien. – Aber eine Hetz ist eine Hetz, und das wird eine Hetz. – Wir werden den Dorfschreiber fragen, der weiß alles über Gerechtigkeit. He, Halunke, würdest du den Neffen als Richter haben wollen?

AZDAK Meint ihr mich?

DER ERSTE PANZERREITER *fährt fort:* Würdest du den Neffen als Richter haben wollen?

AZDAK Fragt ihr mich? Ihr fragt nicht mich, wie?

DER ZWEITE PANZERREITER Warum nicht? Alles für einen Witz!

AZDAK Ich versteh euch so, daß ihr ihn bis aufs Mark prüfen wollt. Hab ich recht? Hättet ihr einen Verbrecher vorrätig, daß der Kandidat zeigen kann, was er kann, einen gewiegten?

DER DRITTE PANZERREITER Laß sehn. Wir haben die zwei Doktoren von der Gouverneurssau unten. Die nehmen wir.

AZDAK Halt, das geht nicht. Ihr dürft nicht richtige Verbrecher nehmen, wenn der Richter nicht bestallt ist. Er kann ein Ochse sein, aber er muß bestallt sein, sonst wird das Recht verletzt, das ein sehr empfindliches Wesen ist, etwa wie die Milz, die niemals mit Fäusten geschlagen werden darf, sonst tritt der Tod ein. Ihr könnt die beiden hängen, dadurch kann niemals das Recht verletzt werden, weil kein Richter dabei war. Recht muß immer in vollkommenem Ernst gesprochen werden, es ist so blöd. Wenn zum Beispiel ein Richter eine Frau verknackt, weil sie für ihr Kind ein Maisbrot gestohlen hat, und er hat seine Robe nicht an oder er kratzt sich beim Urteil, so daß mehr als ein Drittel von ihm entblößt ist, das heißt, er muß sich dann am Oberschenkel kratzen, dann ist das Urteil eine Schande und das Recht ist verletzt. Eher noch könnte eine Richterrobe und ein Richterhut ein Urteil sprechen als ein Mensch ohne das alles. Das Recht ist weg wie nix, wenn nicht aufgepaßt wird. Ihr würdet nicht eine Kanne Wein ausprobieren, indem ihr sie einem Hund zu saufen gebt, warum, dann ist der Wein weg.

DER ERSTE PANZERREITER Was schlägst du also vor, du Haarspalter?

AZDAK Ich mache euch den Angeklagten. Ich weiß auch schon, was für einen. *Er sagt ihnen etwas ins Ohr.*

DER ERSTE PANZERREITER Du?

Alle lachen ungeheuer.

DER FETTE FÜRST Was habt ihr entschieden?

DER ERSTE PANZERREITER Wir haben entschieden, wir machen eine Probe. Unser guter Freund hier wird den Angeklagten spielen, und hier ist ein Richterstuhl für den Kandidaten.

DER FETTE FÜRST Das ist ungewöhnlich, aber warum nicht? *Zum Neffen:* Eine Formsache, Füchschen. Was hast du gelernt, wer ist gekommen, der Langsamläufer oder der Schnelläufer?

DER NEFFE Der Leisetreter, Onkel Arsen.

Der Neffe setzt sich auf den Stuhl, der fette Fürst stellt sich hinter ihn. Die Panzerreiter setzen sich auf die Treppe, und herein mit dem unverkennbaren Gang des Großfürsten läuft der Azdak.

AZDAK Ist hier irgendwer, der mich kennt? Ich bin der Großfürst.

DER FETTE FÜRST Was ist er?

DER ZWEITE PANZERREITER Der Großfürst. Er kennt ihn wirklich.

DER FETTE FÜRST Gut.

DER ERSTE PANZERREITER Los mit der Verhandlung.

AZDAK Höre, ich bin angeklagt wegen Kriegsstiftung. Lächerlich. Sage: lächerlich. Genügt das? Wenn nicht genügt, habe Anwälte mitgebracht, glaube 500. *Er zeigt hinter sich, tut, als wären viele Anwälte um ihn.* Benötige sämtliche vorhandenen Saalsitze für Anwälte. *Die Panzerreiter lachen; der fette Fürst lacht mit.*

DER NEFFE *zu den Panzerreitern:* Wünscht ihr, daß ich den Fall verhandle? Ich muß sagen, daß ich ihn zumindest etwas ungewöhnlich finde, vom geschmacklichen Standpunkt aus, meine ich.

DER ERSTE PANZERREITER Geh los.

DER FETTE FÜRST *lächelnd:* Verknall ihn, Füchschen.

DER NEFFE Schön. Volk von Grusinien contra Großfürst. Was haben Sie vorzubringen, Angeklagter?

AZDAK Allerhand. Habe natürlich selber gelesen, daß Krieg verloren. Habe Krieg seinerzeit auf Anraten von Patrioten wie Onkel Kazbeki erklärt. Verlange Onkel Kazbeki als Zeugen. *Die Panzerreiter lachen.*

DER FETTE FÜRST *zu den Panzerreitern, leutselig:* Eine tolle
Type. Was?

DER NEFFE Antrag abgelehnt. Sie können natürlich nicht angeklagt werden, weil Sie einen Krieg erklärt haben, was
jeder Herrscher hin und wieder zu tun hat, sondern weil
Sie ihn schlecht geführt haben.

AZDAK Unsinn. Habe ihn überhaupt nicht geführt. Habe ihn
führen lassen. Habe ihn führen lassen von Fürsten. Ver-
masselten ihn natürlich.

DER NEFFE Leugnen Sie etwa, den Oberbefehl gehabt zu
haben?

AZDAK Keineswegs. Habe immer Oberbefehl. Schon bei Ge-
burt Amme angepfiffen. Erzogen, auf Abtritt Scheiße zu
entlassen. Gewohnt, zu befehlen. Habe immer Beamten
befohlen, meine Kasse zu bestehlen. Offiziere prügeln Soldaten nur, wenn befehle; Gutsherren schlafen mit Wei-
bern von Bauern nur, wenn strengstens befehle. Onkel
Kazbeki hier hat Bauch nur auf meinen Befehl.

DIE PANZERREITER *klatschen:* Der ist gut. Hoch der Großfürst!

DER FETTE FÜRST Füchschen, antwort ihm! Ich bin bei dir.

DER NEFFE Ich werde ihm antworten, und zwar der Würde
des Gerichts entsprechend. Angeklagter, wahren Sie die
Würde des Gerichts.

AZDAK Einverstanden. Befehle Ihnen, mit Verhör fortzufah-
ren.

DER NEFFE Haben mir nichts zu befehlen. Behaupten also,
Fürsten haben Sie gezwungen, Krieg zu erklären. Wie
können Sie dann behaupten, Fürsten hätten Krieg ver-
masselt?

AZDAK Nicht genug Leute geschickt, Gelder veruntreut, kran-
ke Pferde gebracht, bei Angriff in Bordell gesoffen. Beantrage Onkel Kaz als Zeugen.

Die Panzerreiter lachen.

DER NEFFE Wollen Sie die ungeheuerliche Behauptung aufstellen, daß die Fürsten dieses Landes nicht gekämpft haben?

AZDAK Nein. Fürsten kämpften. Kämpften um Kriegslieferungskontrakte.

DER FETTE FÜRST *springt auf:* Das ist zuviel. Der Kerl redet wie ein Teppichweber.

AZDAK Wirklich? Sage nur die Wahrheit!

DER FETTE FÜRST Aufhängen! Aufhängen!

DER ERSTE PANZERREITER Immer ruhig. Geh weiter, Hoheit.

DER NEFFE Ruhe! Verkündige jetzt Urteil: Müssen aufgehängt werden. Am Hals. Haben Krieg verloren. Urteil gesprochen. Unwiderruflich.

DER FETTE FÜRST *hysterisch:* Abführen! Abführen! Abführen!

AZDAK Junger Mann, rate Ihnen ernsthaft, nicht in Öffentlichkeit in geklippte, zackige Sprechweise zu verfallen. Können nicht angestellt werden als Wachhund, wenn heulen wie Wolf. Kapiert?

DER FETTE FÜRST Aufhängen!

AZDAK Wenn Leuten auffällt, daß Fürsten selbe Sprache sprechen wie Großfürst, hängen sie noch Großfürst und Fürsten auf. Kassiere übrigens Urteil. Grund: Krieg verloren, aber nicht für Fürsten. Fürsten haben ihren Krieg gewonnen. Haben sich 3 863 000 Piaster für Pferde bezahlen lassen, die nicht geliefert.

DER FETTE FÜRST Aufhängen!

AZDAK 8 240 000 Piaster für Verpflegung von Mannschaft, die nicht aufgebracht.

DER FETTE FÜRST Aufhängen!

AZDAK Sind also Sieger. Krieg nur verloren für Grusinien, als welches nicht anwesend vor diesem Gericht.

DER FETTE FÜRST Ich glaube, das ist genug, meine Freunde. *Zu Azdak:* Du kannst abtreten, Galgenvogel. *Zu den*

Panzerreitern: Ich denke, ihr könnt jetzt den neuen Richter bestätigen, meine Freunde.

DER ERSTE PANZERREITER Ja, das können wir. Holt den Richterrock herunter. *Einer klettert auf den Rücken des anderen und zieht dem Gehenkten den Rock ab.* Und jetzt – *zum Neffen* – geh du weg, daß auf den richtigen Stuhl der richtige Arsch kommt. *Zu Azdak:* Tritt du vor, begib dich auf den Richterstuhl. *Der Azdak zögert.* Setz dich hinauf, Mensch. *Der Azdak wird von den Panzerreitern auf den Stuhl getrieben.* Immer war der Richter ein Lump, so soll jetzt ein Lump der Richter sein. *Der Richterrock wird ihm übergelegt, ein Flaschenkorb aufgesetzt.* Schaut, was für ein Richter!

DER SÄNGER

Da war das Land im Bürgerkrieg, der Herrschende

unsicher.

Da wurde der Azdak zum Richter gemacht von den

Panzerreitern.

Da war der Azdak Richter für zwei Jahre.

DER SÄNGER MIT SEINEN MUSIKERN

Als die großen Feuer brannten
Und in Blut die Städte standen
Aus der Tiefe krochen Spinn und Kakerlak.
Vor dem Schloßtor stand ein Schlächter
Am Altar ein Gottverächter
Und es saß im Rock des Richters der Azdak.

Auf dem Richterstuhl sitzt der Azdak, einen Apfel schälend. Schauwa kehrt mit einem Besen das Lokal. Auf der einen Seite ein Invalide im Rollstuhl, der angeklagte Arzt und ein Hinkender in Lumpen. Auf der anderen Seite ein junger Mann, der Erpressung angeklagt. Ein Panzerreiter hält Wache mit der Standarte der Panzerreiter.

AZDAK In Anbetracht der vielen Fälle behandelt der Gerichtshof heute immer zwei Fälle gleichzeitig. Bevor ich beginne, eine kurze Mitteilung: Ich nehme. *Er streckt die Hand aus. Nur der Erpresser zieht Geld und gibt ihm.* Ich behalte mir vor, eine Partei hier wegen Nichtachtung des Gerichtshofes – *er blickt auf den Invaliden* – in Strafe zu nehmen. *Zum Arzt:* Du bist ein Arzt, und du – *zum Invaliden* – klagst ihn an. Ist der Arzt schuld an deinem Zustand?

DER INVALIDE Jawohl. Ich bin vom Schlag getroffen worden wegen ihm.

AZDAK Das wäre Nachlässigkeit im Beruf.

DER INVALIDE Mehr als Nachlässigkeit. Ich habe dem Menschen Geld für sein Studium geliehen. Er hat niemals etwas zurückgezahlt, und als ich hörte, daß er Patienten gratis behandelt, habe ich den Schlaganfall bekommen.

AZDAK Mit Recht. *Zum Hinkenden:* Und was willst du hier?

DER HINKENDE Ich bin der Patient, Euer Gnaden.

AZDAK Er hat wohl dein Bein behandelt?

DER HINKENDE Nicht das richtige. Das Rheuma hatte ich am linken, operiert worden bin ich am rechten, darum hinke ich jetzt.

AZDAK Und das war gratis?

DER INVALIDE Eine 500-Piaster-Operation gratis! Für nichts. Für ein »Vergelt's Gott«. Und ich habe dem Menschen das Studium bezahlt! *Zum Arzt:* Hast du auf der Schule gelernt, umsonst zu operieren?

DER ARZT Euer Gnaden, es ist tatsächlich üblich, vor einer Operation das Honorar zu nehmen, da der Patient vor der Operation willfähriger zahlt als danach, was menschlich verständlich ist. In dem vorliegenden Fall glaubte ich, als ich zur Operation schritt, daß mein Diener das Honorar bereits erhalten hätte. Darin täuschte ich mich.

DER INVALIDE Er täuschte sich! Ein guter Arzt täuscht sich nicht! Er untersucht, bevor er operiert.

AZDAK Das ist richtig. *Zu Schauwa:* Um was handelt es sich bei dem anderen Fall, Herr Öffentlicher Ankläger?

SCHAUWA *eifrig kehrend:* Erpressung.

DER ERPRESSER Hoher Gerichtshof, ich bin unschuldig. Ich habe mich bei dem betreffenden Grundbesitzer nur erkundigen wollen, ob er tatsächlich seine Nichte vergewaltigt hat. Er klärte mich freundlichst auf, das nicht, und gab mir das Geld nur, damit ich meinen Onkel Musik studieren lassen kann.

AZDAK Aha! *Zum Arzt:* Du hingegen, Doktor, kannst für dein Vergehen keinen Milderungsgrund anführen, wie?

DER ARZT Höchstens, daß Irren menschlich ist.

AZDAK Und du weißt, daß ein guter Arzt verantwortungsbewußt ist, wenn es sich um Geldangelegenheiten handelt? Ich hab von einem Arzt gehört, daß er aus einem verstauchten Finger 1000 Piaster gemacht hat, indem er herausgefunden hat, es hätte mit dem Kreislauf zu tun, was ein schlechterer Arzt vielleicht übersehen hätte, und ein anderes Mal hat er durch eine sorgfältige Behandlung eine mittlere Galle zu einer Goldquelle gemacht. Du hast keine Entschuldigung, Doktor. Der Getreidehändler Uxu hat seinen Sohn Medizin studieren lassen, damit er den Handel erlernt, so gut sind bei uns die medizinischen Schulen. *Zum Erpresser:* Wie ist der Name des Grundbesitzers?

SCHAUWA Er wünscht nicht genannt zu werden.

AZDAK Dann spreche ich die Urteile. Die Erpressung wird vom Gericht als bewiesen betrachtet, und du – *zum Invaliden* – wirst zu 1000 Piaster Strafe verurteilt. Wenn du einen zweiten Schlaganfall bekommst, muß dich der Doktor gratis behandeln, eventuell amputieren. *Zum Hinkenden:* Du bekommst als Entschädigung eine Flasche Franzbranntwein zugesprochen. *Zum Erpresser:* Du hast die Hälfte deines Honorars an den Öffentlichen Ankläger

93

abzuführen dafür, daß das Gericht den Namen des Grundbesitzers verschweigt, und außerdem wird dir der Rat erteilt, Medizin zu studieren, da du dich für diesen Beruf eignest. Und du, Arzt, wirst wegen unverzeihlichen Irrtums in deinem Fach freigesprochen. Die nächsten Fälle!

DER SÄNGER MIT SEINEN MUSIKERN
Ach, was willig, ist nicht billig
Und was teuer, nicht geheuer
Und das Recht ist eine Katze im Sack.
Darum bitten wir 'nen Dritten
Daß er schlichtet und's uns richtet
Und das macht uns für 'nen Groschen der Azdak.

Aus einer Karawanserei an der Heerstraße kommt der Azdak, gefolgt von dem Wirt, dem langbärtigen Greis. Dahinter wird vom Knecht und von Schauwa der Richterstuhl geschleppt. Ein Panzerreiter nimmt Aufstellung mit der Standarte der Panzerreiter.

AZDAK Stellt ihn hierher. Da hat man wenigstens Luft und etwas Zug vom Zitronenwäldchen drüben. Der Justiz tut es gut, es im Freien zu machen. Der Wind bläst ihr die Röcke hoch, und man kann sehn, was sie drunter hat. Schauwa, wir haben zuviel gegessen. Diese Inspektionsreisen sind anstrengend. *Zum Wirt:* Es handelt sich um deine Schwiegertochter?

DER WIRT Euer Gnaden, es handelt sich um die Familienehre. Ich erhebe Klage an Stelle meines Sohnes, der in Geschäften überm Berg ist. Dies ist der Knecht, der sich vergangen hat, und hier ist meine bedauernswerte Schwiegertochter. *Die Schwiegertochter, ein üppige Person, kommt. Sie ist verschleiert.*

AZDAK *setzt sich:* Ich nehme. *Der Wirt gibt ihm seufzend*

Geld. So, die Formalitäten sind damit geordnet. Es handelt sich um Vergewaltigung?

DER WIRT Euer Gnaden, ich überraschte den Burschen im Pferdestall, wie er unsere Ludowika eben ins Stroh legte.

AZDAK Ganz richtig, der Pferdestall. Wunderbare Pferde. Besonders ein kleiner Falbe gefiel mir.

DER WIRT Natürlich nahm ich, an Stelle meines Sohnes, Ludowika sofort ins Gebet.

AZDAK *ernst:* Ich sagte, er gefiel mir.

DER WIRT *kalt:* Wirklich? – Ludowika gestand mir, daß der Knecht sie gegen ihren Willen beschlafen habe.

AZDAK Nimm den Schleier ab, Ludowika. *Sie tut es.* Ludowika, du gefällst dem Gerichtshof. Berichte, wie es war.

LUDOWIKA *einstudiert:* Als ich den Stall betrat, das neue Fohlen anzusehen, sagte der Knecht zu mir unaufgefordert: »Es ist heiß heute« und legte mir die Hand auf die linke Brust. Ich sagte zu ihm: »Tu das nicht«, aber er fuhr fort, mich unsittlich zu betasten, was meinen Zorn erregte. Bevor ich seine sündhafte Absicht durchschauen konnte, trat er mir dann zu nahe. Es war geschehen, als mein Schwiegervater eintrat und mich irrtümlich mit den Füßen trat.

DER WIRT *erklärend:* An Stelle meines Sohnes.

AZDAK *zum Knecht:* Gibst du zu, daß du angefangen hast?

KNECHT Jawohl.

AZDAK Ludowika, ißt du gern Süßes?

LUDOWIKA Ja, Sonnenblumenkerne.

AZDAK Sitzt du gern lang im Badezuber?

LUDOWIKA Eine halbe Stunde oder so.

AZDAK Herr Öffentlicher Ankläger, leg dein Messer dort auf den Boden. *Schauwa tut es.* Ludowika, geh und heb das Messer des Öffentlichen Anklägers auf.

Ludowika geht, die Hüften wiegend, zum Messer und hebt es auf.

Azdak zeigt auf sie: Seht ihr das? Wie das wiegt? Der verbrecherische Teil ist entdeckt. Die Vergewaltigung ist erwiesen. Durch zuviel Essen, besonders von Süßem, durch langes Im-lauen-Wasser-Sitzen, durch Faulheit und eine zu weiche Haut hast du den armen Menschen dort vergewaltigt. Meinst du, du kannst mit einem solchen Hintern herumgehen und es geht dir bei Gericht durch? Das ist ein vorsätzlicher Angriff mit einer gefährlichen Waffe. Du wirst verurteilt, den kleinen Falben dem Gerichtshof zu übergeben, den dein Schwiegervater an Stelle seines Sohnes zu reiten pflegt, und jetzt gehst du mit mir in den Pferdestall, damit sich der Gerichtshof den Tatort betrachten kann, Ludowika.

Auf der Grusinischen Heerstraße wird der Azdak von seinen Panzerreitern auf seinem Richterstuhl von Ort zu Ort getragen. Hinter ihm Schauwa, der den Galgen schleppt, und der Knecht, der den kleinen Falben führt.

DER SÄNGER MIT SEINEN MUSIKERN
    Als die Obern sich zerstritten
    War'n die Untern froh, sie litten
    Nicht mehr gar so viel Gibher und Abgezwack.
    Auf Grusiniens bunten Straßen
    Gut versehn mit falschen Maßen
    Zog der Armeleuterichter, der Azdak.
    Und er nahm es von den Reichen
    Und er gab es seinesgleichen
    Und sein Zeichen war die Zähr' aus Siegellack.
    Und beschirmet von Gelichter
    Zog der gute schlechte Richter
    Mütterchen Grusiniens, der Azdak.

Der kleine Zug entfernt sich.

Kommt ihr zu dem lieben Nächsten
Kommt mit gut geschärften Äxten
Nicht entnervten Bibeltexten und Schnickschnack!
Wozu all der Predigtplunder
Seht, die Äxte tuen Wunder
Und mitunter glaubt an Wunder der Azdak.

Der Richterstuhl des Azdak steht in einer Weinschänke.
Drei Großbauern stehen vor dem Azdak, dem Schauwa
Wein bringt. In der Ecke steht eine alte Bäuerin. Unter
der offenen Tür und außen die Dorfbewohner als Zu-
schauer. Ein Panzerreiter hält Wache mit der Standarte der
Panzerreiter.

AZDAK Der Herr Öffentliche Ankläger hat das Wort.

SCHAUWA Es handelt sich um eine Kuh. Die Angeklagte hat
seit fünf Wochen eine Kuh im Stall, die dem Großbauern
Suru gehört. Sie wurde auch im Besitz eines gestohlenen
Schinkens angetroffen, und dem Großbauern Schuteff sind
Kühe getötet worden, als er die Angeklagte aufforderte,
die Pacht für einen Acker zu zahlen.

DIE GROSSBAUERN Es handelt sich um meinen Schinken, Euer
Gnaden. – Es handelt sich um meine Kuh, Euer Gnaden. –
Es handelt sich um meinen Acker, Euer Gnaden.

AZDAK Mütterchen, was hast du dazu zu sagen?

DIE ALTE Euer Gnaden, vor fünf Wochen klopfte es in der
Nacht gegen Morgen zu an meiner Tür, und draußen
stand ein bärtiger Mann mit einer Kuh, und sagte: »Liebe
Frau, ich bin der wundertätige Sankt Banditus, und weil
dein Sohn im Krieg gefallen ist, bringe ich dir diese Kuh
als ein Angedenken. Pflege sie gut.«

DIE GROSSBAUERN Der Räuber Irakli, Euer Gnaden! – Ihr
Schwager, Euer Gnaden! Der Herdendieb, der Brandstif-
ter! – Geköpft muß er werden!

Von außen der Aufschrei einer Frau. Die Menge wird un-

ruhig, weicht zurück. Herein der Bandit Irakli mit einer riesigen Axt.

Irakli! *Sie bekreuzigen sich.*

DER BANDIT Schönen guten Abend, ihr Lieben! Ein Glas Wein!

AZDAK Herr Öffentlicher Ankläger, eine Kanne Wein für den Gast. Und wer bist du?

DER BANDIT Ich bin ein wandernder Eremit, Euer Gnaden, und danke für die milde Gabe. *Er trinkt das Glas aus, das Schauwa gebracht hat.* Noch eins.

AZDAK Ich bin der Azdak. *Er steht auf und verbeugt sich, ebenso verbeugt sich der Bandit.* Der Gerichtshof heißt den fremden Eremiten willkommen. Erzähl weiter, Mütterchen.

DIE ALTE Euer Gnaden, in der ersten Nacht wußt' ich noch nicht, daß der heilige Banditus Wunder tun konnte, es war nur die Kuh. Aber ein paar Tage später kamen nachts die Knechte des Großbauern und wollten mir die Kuh wieder nehmen. Da kehrten sie vor meiner Tür um und gingen zurück ohne die Kuh, und faustgroße Beulen wuchsen ihnen auf den Köpfen. Da wußte ich, daß der heilige Banditus ihre Herzen verwandelt und sie zu freundlichen Menschen gemacht hatte.

Der Bandit lacht laut.

DER ERSTE GROSSBAUER Ich weiß, was sie verwandelt hat.

AZDAK Das ist gut. Da wirst du es uns nachher sagen. Fahr fort!

DIE ALTE Euer Gnaden, der Nächste, der ein guter Mensch wurde, war der Großbauer Schuteff, ein Teufel, das weiß jeder. Aber der heilige Banditus hat es zustande gebracht, daß er mir die Pacht auf den kleinen Acker erlassen hat.

DER ZWEITE GROSSBAUER Weil mir meine Kühe auf dem Feld abgestochen wurden.

Der Bandit lacht.

DIE ALTE *auf den Wink des Azdak:* Und dann kam der Schinken eines Morgens zum Fenster hereingeflogen. Er hat mich ins Kreuz getroffen, ich lahme noch jetzt, sehen Sie, Euer Gnaden. *Sie geht ein paar Schritte. Der Bandit lacht.* Ich frage, Euer Gnaden: Wann hat je einer einem armen alten Menschen einen Schinken gebracht ohne ein Wunder? *Der Bandit beginnt zu schluchzen.*

AZDAK *von seinem Stuhl gehend:* Mütterchen, das ist eine Frage, die den Gerichtshof mitten ins Herz trifft. Sei so freundlich, dich niederzusetzen.

Die Alte setzt sich zögernd auf den Richterstuhl. Der Azdak setzt sich auf den Boden, mit seinem Weinglas.

Mütterchen, fast nenne ich dich Mutter Grusinien, die
                                          Schmerzhafte
Die Beraubte, deren Söhne im Krieg sind
Die mit Fäusten geschlagene, Hoffnungsvolle
Die da weint, wenn sie eine Kuh kriegt.
Die sich wundert, wenn sie nicht geschlagen wird.
Mütterchen, wolle uns Verdammte gnädig beurteilen!

Brüllend zu den Großbauern:
Gesteht, daß ihr nicht an Wunder glaubt, ihr Gottlosen!
Jeder von euch wird verurteilt zu 500 Piaster Strafe
wegen Gottlosigkeit. Hinaus!
Die Großbauern schleichen hinaus.
Und du, Mütterchen, und du, frommer Mann, leeret eine
Kanne Wein mit dem Öffentlichen Ankläger und dem
Azdak.

DER SÄNGER MIT SEINEN MUSIKERN
Und so brach er die Gesetze
Wie ein Brot, daß es sie letze
Bracht das Volk ans Ufer auf des Rechtes Wrack.

Und die Niedren und Gemeinen
Hatten endlich, endlich einen
Den die leere Hand bestochen, den Azdak.
Siebenhundertzwanzig Tage
Maß er mit gefälschter Waage
Ihre Klage, und er sprach wie Pack zu Pack.
Auf dem Richterstuhl, den Balken
Über sich von einem Galgen
Teilte sein gezinktes Recht aus der Azdak.

DER SÄNGER
Da war die Zeit der Unordnung aus, kehrte der Großfürst
zurück
Kehrte die Gouverneursfrau zurück, wurde ein Gericht
gehalten
Starben viele Menschen, brannte die Vorstadt aufs neue,
ergriff Furcht den Azdak.

*Der Richterstuhl des Azdak steht wieder im Hof des Ge-
richts. Der Azdak sitzt auf dem Boden und flickt seinen
Schuh, mit Schauwa sprechend. Von außen Lärm. Hinter
der Mauer wird der Kopf des fetten Fürsten auf einem
Spieß vorbeigetragen.*

AZDAK Schauwa, die Tage deiner Knechtschaft sind jetzt ge-
zählt, vielleicht sogar die Minuten. Ich habe dich die läng-
ste Zeit in der eisernen Kandare der Vernunft gehalten,
die dir das Maul blutig gerissen hat, dich mit Vernunft-
gründen aufgepeitscht und mit Logik mißhandelt. Du bist
von Natur ein schwacher Mensch, und wenn man dir
listig ein Argument hinwirft, mußt du es gierig hinein-
fressen, du kannst dich nicht halten. Du mußt deiner Natur nach einem höheren Wesen die Hand lecken, aber es
können ganz verschiedene höhere Wesen sein, und jetzt
kommt deine Befreiung, und du kannst bald wieder deinen Trieben folgen, welche niedrig sind, und deinem un-

trüglichen Instinkt, der dich lehrt, daß du deine dicke Sohle in menschliche Antlitze pflanzen sollst. Denn die Zeit der Verwirrung und Unordnung ist vorüber und die große Zeit ist nicht gekommen, die ich beschrieben fand in dem Lied vom Chaos, das wir jetzt noch einmal zusammen singen werden zum Angedenken an diese wunderbare Zeit; setz dich und vergreif dich nicht an den Tönen. Keine Furcht, man darf es hören, es hat einen beliebten Refrain.

Er singt:

Schwester, verhülle dein Haupt, Bruder, hole dein Messer, die Zeit ist ganz aus den Fugen.

Die Vornehmen sind voll Klagen und die Geringen voll Freude.

Die Stadt sagt: Laßt uns die Starken aus unserer Mitte vertreiben.

In den Ämtern wird eingebrochen, die Listen der Leibeigenen werden zerstört.

Die Herren hat man an die Mühlsteine gesetzt. Die den Tag nie sahen, sind herausgegangen.

Die Opferkästen aus Ebenholz werden zerschlagen, das herrliche Sesnemholz zerhackt man zu Betten.

Wer kein Brot hatte, der hat jetzt Scheunen, wer sich Kornspenden holte, läßt jetzt selber austeilen.

SCHAUWA Oh, oh, oh, oh.

AZDAK

Wo bleibst du, General! Bitte, bitte, bitte, schaff Ordnung.

Der Sohn des Angesehenen ist nicht mehr zu erkennen; das Kind der Herrin wird zum Sohn ihrer Sklavin.

Die Amtsherren suchen schon Obdach im Speicher; wer kaum auf den Mauern nächtigen durfte, räkelt jetzt sich im Bett.

Der sonst das Boot ruderte, besitzt jetzt Schiffe; schaut ihr Besitzer nach ihnen, so sind sie nicht mehr sein.

Fünf Männer sind ausgeschickt von ihren Herren. Sie
  sagen: Geht jetzt selber den Weg, wir sind angelangt.

SCHAUWA Oh, oh, oh, oh.

AZDAK

Wo bleibst du, General? Bitte, bitte, bitte, schaff
                                                    Ordnung!

Ja, so wäre es beinahe gekommen bei uns, wenn die Ordnung noch länger vernachlässigt worden wäre. Aber jetzt
ist der Großfürst, dem ich Ochse das Leben gerettet habe,
in die Hauptstadt zurück, und die Perser haben ihm ein
Heer ausgeliehen, damit er Ordnung schafft. Die Vorstadt brennt schon. Hol mir das dicke Buch, auf dem ich
immer sitze. *Schauwa bringt vom Richterstuhl das Buch,
der Azdak schlägt es auf.* Das ist das Gesetzbuch, und ich
habe es immer benutzt, das kannst du bezeugen.

SCHAUWA Ja, zum Sitzen.

AZDAK Ich werde jetzt besser nachschlagen, was sie mir auf-
brennen können. Denn ich habe den Habenichtsen durch
die Finger gesehen, das wird mir teuer zu stehen kommen.
Ich habe der Armut auf die dünnen Beine geholfen, da
werden sie mich wegen Trunkenheit aufhängen; ich habe
den Reichen in die Taschen geschaut, das ist faule Sprache. Und ich kann mich nirgends verstecken, denn alle
kennen mich, da ich allen geholfen habe.

SCHAUWA Jemand kommt.

AZDAK *gehetzt stehend, geht dann schlotternd zum Stuhl:*
Aus. Aber ich werd niemand den Gefallen tun, menschliche Größe zu zeigen. Ich bitt dich auf den Knien um Er-
barmen, geh jetzt nicht weg, der Speichel rinnt mir heraus. Ich hab Todesfurcht.
*Herein Natella Abaschwili, die Gouverneursfrau, mit dem
Adjutanten und einem Panzerreiter.*

DIE GOUVERNEURSFRAU Was ist das für eine Kreatur, Shalva?

AZDAK Eine willfährige, Euer Gnaden, eine, die zu Diensten steht.

DER ADJUTANT Natella Abaschwili, die Frau des verstorbenen Gouverneurs, ist soeben zurückgekehrt und sucht nach ihrem dreijährigen Sohn Michel Abaschwili. Sie hat Kenntnis bekommen, daß das Kind von einem früheren Dienstboten in das Gebirge verschleppt wurde.

AZDAK Es wird beigeschafft werden, Euer Hochwohlgeboren, zu Befehl.

DER ADJUTANT Die Person soll das Kind als ihr eigenes ausgeben.

AZDAK Sie wird geköpft werden, Euer Hochwohlgeboren, zu Befehl.

DER ADJUTANT Das ist alles.

DIE GOUVERNEURSFRAU *im Abgehen:* Der Mensch mißfällt mir.

AZDAK *folgt ihr mit tiefen Verbeugungen zur Tür:* Es wird alles geordnet werden, Euer Hochwohlgeboren. Zu Befehl.

6

DER KREIDEKREIS

DER SÄNGER
Hört nun die Geschichte des Prozesses um das Kind des
                                     Gouverneurs Abaschwili
Mit der Feststellung der wahren Mutter
Durch die berühmte Probe mit einem Kreidekreis.

Im Hof des Gerichts in Nukha. Panzerreiter führen Michel herein und über den Hof nach hinten hinaus. Ein Panzerreiter hält mit dem Spieß Grusche unterm Tor zurück, bis das Kind weggeführt ist. Dann wird sie eingelassen. Bei ihr ist die Köchin aus dem Haushalt des ehemaligen Gouverneurs Abaschwili. Entfernter Lärm und Brandröte.

GRUSCHE Er ist tapfer, er kann sich schon allein waschen.

DIE KÖCHIN Du hast ein Glück, es ist überhaupt kein richtiger Richter, es ist der Azdak. Er ist ein Saufaus und versteht nichts, und die größten Diebe sind schon bei ihm freigekommen. Weil er alles verwechselt und die reichen Leut ihm nie genug Bestechung zahlen, kommt unsereiner manchmal gut bei ihm weg.

GRUSCHE Heut brauch ich Glück.

DIE KÖCHIN Verruf's nicht. *Sie bekreuzigt sich.* Ich glaub, ich bet besser noch schnell einen Rosenkranz, daß der Richter besoffen ist.

Sie betet mit tonlosen Lippen, während Grusche vergebens nach dem Kind ausschaut.

Ich versteh nur nicht, warum du's mit aller Gewalt behalten willst, wenn's nicht deins ist, in diesen Zeiten.

GRUSCHE Es ist meins: ich hab's aufgezogen.

DIE KÖCHIN Hast du denn nie darauf gedacht, was geschieht, wenn sie zurückkommt?

GRUSCHE Zuerst hab ich gedacht, ich geb's ihr zurück, und dann hab ich gedacht, sie kommt nicht mehr.

DIE KÖCHIN Und ein geborgter Rock hält auch warm, wie? *Grusche nickt.* Ich schwör dir, was du willst, weil du eine anständige Person bist. *Memoriert:* Ich hab ihn in Pflege gehabt, für 5 Piaster, und die Grusche hat ihn sich abgeholt am Donnerstag, abends, wie die Unruhen waren. *Sie erblickt den Soldaten Chachava, der sich nähert.* Aber an dem Simon hast du dich versündigt, ich hab mit ihm gesprochen, er kann's nicht fassen.

GRUSCHE *die ihn nicht sieht:* Ich kann mich jetzt nicht kümmern um den Menschen, wenn er nichts versteht.

DIE KÖCHIN Er hat's verstanden, daß das Kind nicht deins ist, aber daß du im Stand der Ehe bist und nicht mehr frei, bis der Tod dich scheidet, kann er nicht verstehen. *Grusche erblickt ihn und grüßt.*

SIMON *finster:* Ich möchte der Frau mitteilen, daß ich bereit zum Schwören bin. Der Vater vom Kind bin ich.

GRUSCHE *leise:* Es ist recht, Simon.

SIMON Zugleich möchte ich mitteilen, daß ich dadurch zu nichts verpflichtet bin und die Frau auch nicht.

DIE KÖCHIN Das ist unnötig. Sie ist verheiratet, das weißt du.

SIMON Das ist ihre Sache und braucht nicht eingerieben zu werden. *Herein kommen zwei Panzerreiter.*

DIE PANZERREITER Wo ist der Richter? – Hat jemand den Richter gesehen?

GRUSCHE *die sich abgewendet und ihr Gesicht bedeckt hat:* Stell dich vor mich hin. Ich hätte nicht nach Nukha gehen dürfen. Wenn ich an den Panzerreiter hinlauf, den ich über den Kopf geschlagen hab . . .

EINER DER PANZERREITER *die das Kind gebracht haben, tritt*

vor: Der Richter ist nicht hier. *Die beiden Panzerreiter suchen weiter.*

DIE KÖCHIN Hoffentlich ist nichts mit ihm passiert. Mit einem andern hast du weniger Aussichten, als ein Huhn Zähne im Mund hat.

Ein anderer Panzerreiter tritt auf.

DER PANZERREITER *der nach dem Richter gefragt hat, meldet ihm:* Da sind nur zwei alte Leute und ein Kind. Der Richter ist getürmt.

DER ANDERE PANZERREITER Weitersuchen!

Die ersten beiden Panzerreiter gehen schnell ab, der dritte bleibt stehen. Grusche schreit auf. Der Panzerreiter dreht sich um. Es ist der Gefreite, und er hat eine große Narbe über dem ganzen Gesicht.

DER PANZERREITER IM TOR Was ist los, Schotta? Kennst du die?

DER GEFREITE *nach langem Starren:* Nein.

DER PANZERREITER IM TOR Die soll das Abaschwilikind gestohlen haben. Wenn du davon etwas weißt, kannst du einen Batzen Geld machen, Schotta.

Der Gefreite geht fluchend ab.

DIE KÖCHIN War es der? *Grusche nickt.* Ich glaub, der hält's Maul. Sonst müßt er zugeben, er war hinter dem Kind her.

GRUSCHE *befreit:* Ich hatte beinah schon vergessen, daß ich das Kind doch gerettet hab vor denen... *Herein die Gouverneursfrau mit dem Adjutanten und zwei Anwälten.*

DIE GOUVERNEURSFRAU Gott sei Dank, wenigstens kein Volk da. Ich kann den Geruch nicht aushalten, ich bekomme Migräne davon.

DER ERSTE ANWALT Bitte, gnädige Frau. Seien Sie so vernünftig wie möglich mit allem, was Sie sagen, bis wir einen andern Richter haben.

DIE GOUVERNEURSFRAU Aber ich habe doch gar nichts gesagt, Illo Schuboladze. Ich liebe das Volk mit seinem schlichten, geraden Sinn, es ist nur der Geruch, der mir Migräne macht.

DER ZWEITE ANWALT Es wird kaum Zuschauer geben. Der größte Teil der Bevölkerung sitzt hinter geschlossenen Türen wegen der Unruhen in der Vorstadt.

DIE GOUVERNEURSFRAU Ist das die Person?

DER ERSTE ANWALT Bitte, gnädigste Natella Abaschwili, sich aller Invektiven zu enthalten, bis es sicher ist, daß der Großfürst den neuen Richter ernannt hat und wir den gegenwärtigen amtierenden Richter los sind, der ungefähr das Niedrigste ist, was man je in einem Richterrock gesehen hat. Und die Dinge scheinen sich schon zu bewegen, sehen Sie.

Panzerreiter kommen in den Hof.

DIE KÖCHIN Die Gnädigste würde dir sogleich die Haare ausreißen, wenn sie nicht wüßte, daß der Azdak für die Niedrigen ist. Er geht nach dem Gesicht.

Zwei Panzerreiter haben begonnen, einen Strick an der Säule zu befestigen. Jetzt wird der Azdak gefesselt hereingeführt. Hinter ihm, ebenfalls gefesselt, Schauwa. Hinter diesem die drei Großbauern.

EIN PANZERREITER Einen Fluchtversuch wolltest du machen, was?

Er schlägt den Azdak.

EIN GROSSBAUER Den Richterrock herunter, bevor er hochgezogen wird!

Panzerreiter und Großbauern reißen dem Azdak den Richterrock herunter. Seine zerlumpte Unterkleidung wird sichtbar. Dann gibt ihm einer einen Stoß.

EIN PANZERREITER *wirft ihn einem anderen zu:* Willst du einen Haufen Gerechtigkeit? Da ist sie!

Unter Geschrei »Nimm du sie!« und »Ich brauche sie

nicht!« werfen sie sich den Azdak zu, bis er *zusammen-bricht, dann wird er hochgerissen und unter die Schlinge gezerrt.*

DIE GOUVERNEURSFRAU *die während des »Ballspiels« hyste-risch in die Hände geklatscht hat:* Der Mensch war mir unsympathisch auf den ersten Blick.

AZDAK *blutüberströmt, keuchend:* Ich kann nicht sehn, gebt mir einen Lappen.

DER ANDERE PANZERREITER Was willst du denn sehn?

AZDAK Euch, Hunde. *Er wischt sich mit seinem Hemd das Blut aus den Augen.* Gott zum Gruß, Hunde! Wie geht es, Hunde? Wie ist die Hundewelt, stinkt sie gut? Gibt es wieder einen Stiefel zu lecken? Beißt ihr euch wieder sel-ber zu Tode, Hunde?

Ein staubbedeckter Reiter ist mit einem Gefreiten herein-gekommen. Aus einem Ledersack hat er Papiere gezogen und durchgesehen. Nun greift er ein.

DER STAUBBEDECKTE REITER Halt, hier ist das Schreiben des Großfürsten, die neuen Ernennungen betreffend.

GEFREITER *brüllt:* Steht still. *Alle stehen still.*

DER STAUBBEDECKTE REITER Über den neuen Richter heißt es: Wir ernennen einen Mann, dem die Errettung eines dem Land hochwichtigen Lebens zu danken ist, einen ge-wissen Azdak in Nukha. Wer ist das?

SCHAUWA *zeigt auf den Azdak:* Der am Galgen, Euer Ex-zellenz.

GEFREITER *brüllt:* Was geht hier vor?

DER PANZERREITER Bitte, berichten zu dürfen, daß Seine Gnaden schon Seine Gnaden war und auf Anzeige dieser Großbauern als Feind des Großfürsten bezeichnet wurde.

GEFREITER *auf die Großbauern:* Abführen! *Sie werden ab-geführt, gehen mit unaufhörlichen Verneigungen.* Sorgt, daß Seine Gnaden keine weiteren Belästigungen erfährt. *Ab mit dem staubbedeckten Reiter.*

DIE KÖCHIN *zu Schauwa:* Sie hat in die Hände geklatscht. Hoffentlich hat er es gesehen.

DER ERSTE ANWALT Es ist eine Katastrophe.

Der Azdak ist ohnmächtig geworden. Er wird herabgeholt, kommt zu sich, wird wieder mit dem Richterrock bekleidet, geht schwankend aus der Gruppe der Panzerreiter.

DIE PANZERREITER Nichts für ungut, Euer Gnaden! – Was wünschen Euer Gnaden?

AZDAK Nichts, meine Mithunde. Einen Stiefel zum Lecken, gelegentlich. *Zu Schauwa:* Ich begnadige dich. *Er wird entfesselt.* Hol mir von dem Roten, Süßen. *Schauwa ab.* Verschwindet, ich hab einen Fall zu behandeln. *Panzerreiter ab. Schauwa zurück mit Kanne Wein. Der Azdak trinkt schwer. Etwas für meinen Steiß! *Schauwa bringt das Gesetzbuch, legt es auf den Richterstuhl. Der Azdak setzt sich.* Ich nehme! *Die Antlitze der Kläger, unter denen eine besorgte Beratung stattfindet, zeigen ein befreites Lächeln. Ein Tuscheln findet statt.*

DIE KÖCHIN Auweh.

SIMON »Ein Brunnen läßt sich nicht mit Tau füllen«, wie man sagt.

DIE ANWÄLTE *nähern sich dem Azdak, der erwartungsvoll aufsteht:* Ein ganz lächerlicher Fall, Euer Gnaden. – Die Gegenpartei hat das Kind entführt und weigert sich, es herauszugeben.

AZDAK *hält ihnen die offene Hand hin, nach Grusche blickend:* Eine sehr anziehende Person. *Er bekommt mehr.* Ich eröffne die Verhandlung und bitt mir strikte Wahrhaftigkeit aus. *Zu Grusche:* Besonders von dir.

DER ERSTE ANWALT Hoher Gerichtshof! Blut, heißt es im Volksmund, ist dicker als Wasser. Diese alte Weisheit ...

AZDAK Der Gerichtshof wünscht zu wissen, was das Honorar des Anwalts ist.

DER ERSTE ANWALT *erstaunt:* Wie belieben? *Der Azdak reibt freundlich Daumen und Zeigefinger.* Ach so! 500 Piaster, Euer Gnaden, um die ungewöhnliche Frage des Gerichtshofes zu beantworten.

AZDAK Habt ihr zugehört? Die Frage ist ungewöhnlich. Ich frag, weil ich Ihnen ganz anders zuhör, wenn ich weiß, Sie sind gut.

DER ERSTE ANWALT *verbeugt sich:* Danke, Euer Gnaden. Hoher Gerichtshof! Die Bande des Blutes sind die stärksten aller Bande. Mutter und Kind, gibt es ein innigeres Verhältnis? Kann man einer Mutter ihr Kind entreißen? Hoher Gerichtshof! Sie hat es empfangen in den heiligen Ekstasen der Liebe, sie trug es in ihrem Leibe, speiste es mit ihrem Blute, gebar es mit Schmerzen. Hoher Gerichtshof! Man hat gesehen, wie selbst die rohe Tigerin, beraubt ihrer Jungen, rastlos durch die Gebirge streifte, abgemagert zu einem Schatten. Die Natur selber . . .

AZDAK *unterbricht, zu Grusche:* Was kannst du dazu und zu allem, was der Herr Anwalt noch zu sagen hat, erwidern?

GRUSCHE Es ist meins.

AZDAK Ist das alles? Ich hoff, du kannst's beweisen. Jedenfalls rat ich dir, daß du mir sagst, warum du glaubst, ich soll dir das Kind zusprechen.

GRUSCHE Ich hab's aufgezogen nach bestem Wissen und Gewissen, ihm immer was zum Essen gefunden. Es hat meistens ein Dach überm Kopf gehabt, und ich hab allerlei Ungemach auf mich genommen seinetwegen, mir auch Ausgaben gemacht. Ich hab nicht auf meine Bequemlichkeit geschaut. Das Kind hab ich angehalten zur Freundlichkeit gegen jedermann und von Anfang an zur Arbeit, so gut es gekonnt hat, es ist noch klein.

DER ERSTE ANWALT Euer Gnaden, es ist bezeichnend, daß die Person selber keinerlei Blutsbande zwischen sich und dem Kind geltend macht.

AZDAK Der Gerichtshof nimmt's zur Kenntnis.

DER ERSTE ANWALT Danke, Euer Gnaden. Gestatten Sie, daß eine tiefgebeugte Frau, die schon ihren Gatten verlor und nun auch noch fürchten muß, ihr Kind zu verlieren, einige Worte an Sie richtet. Gnädige Natella Abaschwili ...

DIE GOUVERNEURSFRAU *leise:* Ein höchst grausames Schicksal, mein Herr, zwingt mich, von Ihnen mein geliebtes Kind zurückzuerbitten. Es ist nicht an mir, Ihnen die Seelenqualen einer beraubten Mutter zu schildern, die Ängste, die schlaflosen Nächte, die ...

DER ZWEITE ANWALT *ausbrechend:* Es ist unerhört, wie man diese Frau behandelt. Man verwehrt ihr den Eintritt in den Palast ihres Mannes, man sperrt ihr die Einkünfte aus den Gütern, man sagt ihr kaltblütig, sie seien an den Erben gebunden, sie kann nichts unternehmen ohne das Kind, sie kann ihre Anwälte nicht bezahlen! *Zu dem ersten Anwalt, der, verzweifelt über seinen Ausbruch, ihm frenetische Gesten macht, zu schweigen:* Lieber Illo Schuboladze, warum soll es nicht ausgesprochen werden, daß es sich schließlich um die Abaschwili-Güter handelt?

DER ERSTE ANWALT Bitte, verehrter Sandro Oboladze! Wir haben vereinbart ... *Zum Azdak:* Selbstverständlich ist es richtig, daß der Ausgang des Prozesses auch darüber entscheidet, ob unsere hohe Klientin die Verfügung über die sehr großen Abaschwili-Güter erhält, aber ich sage mit Absicht »auch«, das heißt, im Vordergrund steht die menschliche Tragödie einer Mutter, wie Natella Abaschwili im Eingang ihrer erschütternden Ausführungen mit Recht erwähnt hat. Selbst wenn Michel Abaschwili nicht der Erbe der Güter wäre, wäre er immer noch das heißgeliebte Kind meiner Klientin!

AZDAK Halt! Den Gerichtshof berührt die Erwähnung der Güter als ein Beweis der Menschlichkeit.

DER ZWEITE ANWALT Danke, Euer Gnaden. Lieber Illo Schuboladze, auf jeden Fall können wir nachweisen, daß die Person, die das Kind an sich gerissen hat, nicht die Mutter des Kindes ist! Gestatten Sie mir, dem Gerichtshof die nackten Tatsachen zu unterbreiten. Das Kind, Michel Abaschwili, wurde durch eine unglückliche Verkettung von Umständen bei der Flucht der Mutter zurückgelassen. Die Grusche, Küchenmädchen im Palast, war an diesem Ostersonntag anwesend und wurde beobachtet, wie sie sich mit dem Kind zu schaffen machte . . .

DIE KÖCHIN Die Frau hat nur daran gedacht, was für Kleider sie mitnimmt!

DER ZWEITE ANWALT *unbewegt:* Nahezu ein Jahr später tauchte die Grusche in einem Gebirgsdorf auf mit einem Kind und ging eine Ehe ein mit . . .

AZDAK Wie bist du in das Gebirgsdorf gekommen?

GRUSCHE Zu Fuß, Euer Gnaden, und es war meins.

SIMON Ich bin der Vater, Euer Gnaden.

DIE KÖCHIN Es war bei mir in Pflege, Euer Gnaden, für 5 Piaster.

DER ZWEITE ANWALT Der Mann ist der Verlobte der Grusche, Hoher Gerichtshof, und daher in seiner Aussage nicht vertrauenswürdig.

AZDAK Bist du der, den sie im Gebirgsdorf geheiratet hat?

SIMON Nein, Euer Gnaden. Sie hat einen Bauern geheiratet.

AZDAK *winkt Grusche heran:* Warum? *Auf Simon:* Ist er nichts im Bett? Sag die Wahrheit.

GRUSCHE Wir sind nicht soweit gekommen. Ich hab geheiratet wegen dem Kind. Daß es ein Dach über dem Kopf gehabt hat. *Auf Simon:* Er war im Krieg, Euer Gnaden.

AZDAK Und jetzt will er wieder mit dir, wie?

SIMON Ich möchte zu Protokoll geben . . .

GRUSCHE *zornig:* Ich bin nicht mehr frei, Euer Gnaden.

AZDAK Und das Kind, behauptest du, kommt von der Hurerei? *Da Grusche nicht antwortet:* Ich stell dir eine Frage: Was für ein Kind ist es? So ein zerlumpter Straßenbankert oder ein feines, aus einer vermögenden Familie?

GRUSCHE *böse:* Es ist ein gewöhnliches.

AZDAK Ich mein: hat es frühzeitig verfeinerte Züge gezeigt?

GRUSCHE Es hat eine Nase im Gesicht gezeigt.

AZDAK Es hat eine Nase im Gesicht gezeigt. Das betracht ich als eine wichtige Antwort von dir. Man erzählt von mir, daß ich vor einem Richterspruch hinausgegangen bin und an einem Rosenstrauch hingerochen hab. Das sind Kunstgriffe, die heut schon nötig sind. Ich werd's jetzt kurz machen und mir eure Lügen nicht weiter anhören, – *zu Grusche* – besonders die deinen. Ich kann mir denken, was ihr euch – *zu der Gruppe der Beklagten* – alles zusammengekocht habt, daß ihr mich bescheißt, ich kenn euch. Ihr seid Schwindler.

GRUSCHE *plötzlich:* Ich glaub's Ihnen, daß Sie's kurz machen wollen, nachdem ich gesehen hab, wie Sie genommen haben!

AZDAK Halt's Maul. Hab ich etwa von dir genommen?

GRUSCHE *obwohl die Köchin sie zurückhalten will:* Weil ich nichts hab.

AZDAK Ganz richtig. Von euch Hungerleidern krieg ich nichts, da könnt ich verhungern. Ihr wollt eine Gerechtigkeit, aber wollt ihr zahlen? Wenn ihr zum Fleischer geht, wißt ihr, daß ihr zahlen müßt, aber zum Richter geht ihr wie zum Leichenschmaus.

SIMON *laut:* »Als sie das Roß beschlagen kamen, streckte der Roßkäfer die Beine hin«, heißt es.

AZDAK *nimmt die Herausforderung eifrig auf:* »Besser ein Schatz aus der Jauchegrube als ein Stein aus dem Bergquell.«

SIMON »Ein schöner Tag, wollen wir nicht fischen gehn? sagte der Angler zum Wurm.«

AZDAK »Ich bin mein eigener Herr, sagte der Knecht und schnitt sich den Fuß ab.«

SIMON »Ich liebe euch wie ein Vater, sagte der Zar zu den Bauern und ließ dem Zarewitsch den Kopf abhaun.«

AZDAK »Der ärgste Feind des Narren ist er selber.«

SIMON Aber »der Furz hat keine Nase«.

AZDAK 10 Piaster Strafe für unanständige Sprache vor Gericht, damit du lernst, was Justiz ist.

GRUSCHE Das ist eine saubere Justiz. Uns verknallst du, weil wir nicht so fein reden können wie die mit ihren Anwälten.

AZDAK So ist es. Ihr seid zu blöd. Es ist nur recht, daß ihr's auf den Deckel kriegt.

GRUSCHE Weil du der da das Kind zuschieben willst, wo sie viel zu fein ist, als daß sie je gewußt hat, wie sie es trokkenlegt! Du weißt nicht mehr von Justiz als ich, das merk dir.

AZDAK Da ist was dran. Ich bin ein unwissender Mensch, ich habe keine ganze Hose unter meinem Richterrock, schau selber. Es geht alles in Essen und Trinken bei mir, ich bin in einer Klosterschul erzogen. Ich nehm übrigens auch dich in Straf mit 10 Piaster für Beleidigung des Gerichtshofs. Und außerdem bist du eine ganz dumme Person, daß du mich gegen dich einnimmst, statt daß du mir schöne Augen machst und ein bissel den Hintern drehst, so daß ich günstig gestimmt bin. 20 Piaster.

GRUSCHE Und wenn's 30 werden, ich sag dir, was ich von deiner Gerechtigkeit halt, du besoffene Zwiebel. Wie kannst du dich unterstehn und mit mir reden wie der gesprungene Jesaja auf dem Kirchenfenster als ein Herr? Wie sie dich aus deiner Mutter gezogen haben, war's nicht geplant, daß du ihr eins auf die Finger gibst, wenn sie sich ein Schälchen Hirse nimmt irgendwo, und schämst dich nicht, wenn du siehst, daß ich vor dir zitter? Aber du hast dich zu ihrem Knecht machen lassen, daß man ihnen nicht die Häuser wegträgt, weil sie die gestohlen haben; seit wann gehören die Häuser den Wanzen? Aber du paßt auf, sonst könnten sie uns nicht die Männer in ihre Kriege schleppen, du Verkaufter.

Der Azdak hat sich erhoben. Er beginnt zu strahlen. Mit seinem kleinen Hammer klopft er auf den Tisch, halbherzig, wie um Ruhe herzustellen, aber wenn die Schimpferei der Grusche fortschreitet, schlägt er ihr nur noch den Takt.

Ich hab keinen Respekt vor dir. Nicht mehr als vor einem Dieb und Raubmörder mit einem Messer, er macht, was er will. Du kannst mir das Kind wegnehmen, hundert gegen eins, aber ich sag dir eins: Zu einem Beruf wie dem deinen sollt man nur Kinderschänder und Wucherer auswählen, zur Strafe, daß sie über ihren Mitmenschen sitzen müssen, was schlimmer ist, als am Galgen hängen.

AZDAK *setzt sich:* Jetzt sind's 30, und ich rauf mich nicht weiter mit dir herum wie im Weinhaus, wo käm meine richterliche Würde hin, ich hab überhaupt die Lust verloren an deinem Fall. Wo sind die zwei, die geschieden werden wollen? *Zu Schauwa:* Bring sie herein. Diesen Fall setz ich aus für eine Viertelstunde.

DER ERSTE ANWALT *während Schauwa geht:* Wenn wir gar nichts mehr vorbringen, haben wir das Urteil im Sack, gnädige Frau.

DIE KÖCHIN *zu Grusche:* Du hast dir's verdorben mit ihm. Jetzt spricht er dir das Kind ab.

Herein kommt ein sehr altes Ehepaar.

DIE GOUVERNEURSFRAU Shalva, mein Riechfläschchen.

AZDAK Ich nehme. *Die Alten verstehen nicht.* Ich hör, ihr wollt geschieden werden. Wie lang seid ihr schon zusammen?

DIE ALTE 40 Jahre, Euer Gnaden.

AZDAK Und warum wollt ihr geschieden werden?

DER ALTE Wir sind uns nicht sympathisch, Euer Gnaden.

AZDAK Seit wann?

DIE ALTE Seit immer, Euer Gnaden.

AZDAK Ich werd mir euern Wunsch überlegen und mein Urteil sprechen, wenn ich mit dem andern Fall fertig bin. *Schauwa führt sie in den Hintergrund.* Ich brauch das Kind. *Winkt Grusche zu sich und beugt sich zu ihr, nicht unfreundlich.* Ich hab gesehen, daß du was für Gerechtigkeit übrig hast. Ich glaub dir nicht, daß es dein Kind ist, aber wenn es deines wär, Frau, würdest du da nicht wollen, es soll reich sein? Da müßtest du doch nur sagen, es ist nicht deins. Und sogleich hätt es einen Palast und hätte die vielen Pferde an seiner Krippe und die vielen Bettler an seiner Schwelle, die vielen Soldaten in seinem Dienst und die vielen Bittsteller in seinem Hofe, nicht? Was antwortest du mir da? Willst du's nicht reich haben? *Grusche schweigt.*

DER SÄNGER Hört nun, was die Zornige dachte, nicht sagte.
Er singt:
Ginge es in goldnen Schuhn
Träte es mir auf die Schwachen
Und es müßte Böses tun
Und könnte mir lachen.
Ach, zum Tragen, spät und frühe
Ist zu schwer ein Herz aus Stein
Denn es macht zu große Mühe
Mächtig tun und böse sein.
Wird es müssen den Hunger fürchten
Aber die Hungrigen nicht.
Wird es müssen die Finsternis fürchten
Aber nicht das Licht.

AZDAK Ich glaub, ich versteh dich, Frau.

GRUSCHE Ich geb's nicht mehr her. Ich hab's aufgezogen, und es kennt mich.

Schauwa führt das Kind herein.

DIE GOUVERNEURSFRAU In Lumpen geht es!

GRUSCHE Das ist nicht wahr. Man hat mir nicht die Zeit gegeben, daß ich ihm sein gutes Hemd anzieh.

DIE GOUVERNEURSFRAU In einem Schweinekoben war es!

GRUSCHE *aufgebracht:* Ich bin kein Schwein, aber da gibt's andere. Wo hast du dein Kind gelassen?

DIE GOUVERNEURSFRAU Ich werd's dir geben, du vulgäre Person. *Sie will sich auf Grusche stürzen, wird aber von den Anwälten zurückgehalten.* Das ist eine Verbrecherin! Sie muß ausgepeitscht werden!

DER ZWEITE ANWALT *hält ihr den Mund zu:* Gnädigste Natella Abaschwili! Sie haben versprochen . . . Euer Gnaden, die Nerven der Klägerin . . .

AZDAK Klägerin und Angeklagte: Der Gerichtshof hat euren Fall angehört und hat keine Klarheit gewonnen, wer die wirkliche Mutter dieses Kindes ist. Ich als Richter hab die Verpflichtung, daß ich für das Kind eine Mutter aussuch. Ich werd eine Probe machen. Schauwa, nimm ein Stück Kreide. Zieh einen Kreis auf den Boden. *Schauwa zieht einen Kreis mit Kreide auf den Boden.* Stell das Kind hinein! *Schauwa stellt Michel, der Grusche zulächelt, in den Kreis.* Klägerin und Angeklagte, stellt euch neben den Kreis, beide! *Die Gouverneursfrau und Grusche treten neben den Kreis.* Faßt das Kind bei der Hand. Die richtige Mutter wird die Kraft haben, das Kind aus dem Kreis zu sich zu ziehen.

DER ZWEITE ANWALT *schnell:* Hoher Gerichtshof, ich erhebe Einspruch, daß das Schicksal der großen Abaschwili-Güter, die an das Kind als Erben gebunden sind, von einem so zweifelhaften Zweikampf abhängen soll. Dazu kommt: Meine Mandantin verfügt nicht über die gleichen Kräfte wie diese Person, die gewohnt ist, körperliche Arbeit zu verrichten.

AZDAK Sie kommt mir gut genährt vor. Zieht!

Die Gouverneursfrau zieht das Kind zu sich herüber aus dem Kreis. Grusche hat es losgelassen, sie steht entgeistert.

DER ERSTE ANWALT *beglückwünscht die Gouverneursfrau:* Was hab ich gesagt? Blutsbande!

AZDAK *zu Grusche:* Was ist mit dir? Du hast nicht gezogen.

GRUSCHE Ich hab's nicht festgehalten. *Sie läuft zu Azdak.* Euer Gnaden, ich nehm zurück, was ich gegen Sie gesagt hab, ich bitt Sie um Vergebung. Wenn ich's nur behalten könnt, bis es alle Wörter kann. Es kann erst ein paar.

AZDAK Beeinfluß nicht den Gerichtshof! Ich wett, du kannst selber nur zwanzig. Gut, ich mach die Probe noch einmal daß ich's endgültig hab.

Die beiden Frauen stellen sich noch einmal auf.

Zieht!

Wieder läßt Grusche das Kind los.

GRUSCHE *verzweifelt:* Ich hab's aufgezogen! Soll ich's zerreißen? Ich kann's nicht.

AZDAK *steht auf:* Und damit hat der Gerichtshof festgestellt, wer die wahre Mutter ist. *Zu Grusche:* Nimm dein Kind und bring's weg. Ich rat dir, bleib nicht in der Stadt mit ihm. *Zur Gouverneursfrau:* Und du verschwind, bevor ich dich wegen Betrug verurteil. Die Güter fallen an die Stadt, damit ein Garten für die Kinder draus gemacht wird, sie brauchen ihn, und ich bestimm, daß er nach mir »Der Garten des Azdak« heißt.

Die Gouverneursfrau ist ohnmächtig geworden und wird vom Adjutanten weggeführt, während die Anwälte schon vorher gegangen sind. Grusche steht ohne Bewegung. Schauwa führt ihr das Kind zu.

Denn ich leg den Richterrock ab, weil er mir zu heiß geworden ist. Ich mach keinem den Helden. Aber ich lad euch noch ein zu einem kleinen Tanzvergnügen, auf der Wiese draußen, zum Abschied. Ja, fast hätt ich noch was vergessen in meinem Rausch. Nämlich, daß ich die Scheidung vollzieh. *Den Richterstuhl als Tisch benutzend, schreibt er etwas auf ein Papier und will weggehen. Die Tanzmusik hat begonnen.*

SCHAUWA *hat das Papier gelesen:* Aber das ist nicht richtig. Sie haben nicht die zwei Alten geschieden, sondern die Grusche von ihrem Mann.

AZDAK Hab ich die Falschen geschieden? Das tät mir leid, aber es bleibt dabei, zurück nehm ich nichts, das wäre keine Ordnung. *Zu dem sehr alten Ehepaar:* Ich lad euch dafür zu meinem Fest ein, zu einem Tanz werdet ihr euch noch gut genug sein. *Zu Grusche und Simon:* Und von euch krieg ich 40 Piaster zusammen.

SIMON *zieht seinen Beutel:* Das ist billig, Euer Gnaden. Und besten Dank.

AZDAK *steckt das Geld ein:* Ich werd's brauchen.

GRUSCHE Da gehen wir besser heut nacht noch aus der Stadt, was, Michel? *Will das Kind auf den Rücken nehmen. Zu Simon:* Gefällt er dir?

SIMON *nimmt das Kind auf den Rücken:* Melde gehorsamst, daß er mir gefällt.

GRUSCHE Und jetzt sag ich dir's: Ich hab ihn genommen, weil ich mich dir verlobt hab an diesem Ostertag. Und so ist's ein Kind der Liebe, Michel, wir tanzen.

Sie tanzt mit Michel. Simon faßt die Köchin und tanzt mit ihr. Auch die beiden Alten tanzen. Der Azdak steht in Gedanken. Die Tanzenden verdecken ihn bald. Mitunter sieht man ihn wieder, immer seltener, als mehr Paare hereinkommen und tanzen.

DER SÄNGER

Und nach diesem Abend verschwand der Azdak und ward nicht mehr gesehen.

Aber das Volk Grusiniens vergaß ihn nicht und gedachte
noch
Lange seiner Richterzeit als einer kurzen
Goldenen Zeit beinah der Gerechtigkeit.

*Die Tanzenden tanzen hinaus. Der Azdak ist verschwun-
den.*

Ihr aber, ihr Zuhörer der Geschichte vom Kreidekreis
Nehmt zur Kenntnis die Meinung der Alten:
Daß da gehören soll, was da ist, denen, die für es gut sind,
also
Die Kinder den Mütterlichen, damit sie gedeihen
Die Wagen den guten Fahrern, damit gut gefahren wird
Und das Tal den Bewässerern, damit es Frucht bringt.

Musik

edition suhrkamp

Alphabetisches Verzeichnis der edition suhrkamp